NO QUIERO CRECER

© 2009, Pilar Sordo

© 2009, de la presente edición en castellano para todo el mundo de habla hispana
Grupo Editorial Norma
Monjitas 527 piso 17
Santiago de Chile.

ISBN: 978-956-300-244-7
PI: 186074
CC: 28002303
4ª edición, noviembre 2010

Impreso por Grafhika Copy Center
Impreso en Chile - Printed in Chile

www.librerianorma.com

Diagramación y Diseño: Sasha Laskowsky

Pilar Sordo

NO QUIERO CRECER

VIVA LA DIFERENCIA
para padres con hijos
adolescentes

GRUPO
EDITORIAL
norma

Bogotá Barcelona Buenos Aires Caracas Guatemala Lima México Panamá
Quito San José San Juan San Salvador Santiago de Chile Santo Domingo

A Óscar, el amor y la fuerza de mi vida
A mis hijos, el centro y la conexión con
el presente... mi cable a tierra

INTRODUCCIÓN

Quizás a muchos de ustedes cuando vieron por primera vez este libro les llamó la atención el título No quiero crecer. La verdad es que no deseo responder todavía por qué elegí este nombre; lo vamos a descubrir juntos en la medida en que el libro se desarrolle. Pero ¿por qué los adolescentes no querrían crecer? Ésa es una pregunta para los adultos. Tenemos que reflexionar sobre el tipo de testimonio que estamos siendo para nuestros hijos, como para que ellos de verdad quisieran crecer.

Si a mí, que tengo 43 años, me preguntaban cuando chica qué me gustaría ser cuando grande, yo siempre quería ser grande... por último, porque *me habían contado la historia de que los adultos hacían lo que querían. Al final, uno descubre que eso no es verdad, pero, al menos, cuando yo miraba hacia adelante había algo que me parecía atractivo. Crecer implicaba tomar decisiones, hacerse responsable, disfrutar de cosas en forma autónoma, sin preguntarle a nadie... Y hoy, justamente, es lo que parece estar en crisis en los jóvenes.*

¿Por qué un Viva la diferencia para jóvenes? Porque creo que el concepto de la diversidad hoy día es un tema fundamental para la sociedad en general. Es aceptar lo distintos que somos, y cómo desde esa diferencia contribuimos a que todos podamos vivir en un mundo mejor. Eso implica respetar y entender la diferencia entre el niño que estudia mucho y el que no lo hace tanto; entre el que tiene déficit atencional y el que no lo tiene; entre el que sufre de bullying y el que lo ejerce.

Respetar también la condición sexual de los jóvenes. Tolerar la diferencia en los sueños y en las vocaciones de nuestros adolescentes, porque cada vez hay más diversidad profesional. Ya no existe, como en mi generación, la búsqueda de las famosas 12 carreras importantes. Hoy día hay más alternativas.

También existen diferentes tipos de familias, que tienen evidentemente consecuencias directas en generar distintos tipos de jóvenes. *Debemos ser capaces, como sociedad, de incorporarlas, respetarlas, tolerarlas, aceptarlas y, por qué no decirlo, quererlas.* Creo que Chile es particularmente un país que tolera muy poco las diferencias; no nos gustan mucho las minorías.

Por lo tanto, así como en *Viva la diferencia* se invitó a vivir la diferencia de género y a decir "qué bueno que hombres y mujeres somos distintos", este libro también es una invitación a decir "viva la diferencia entre los jóvenes" para que cada uno, desde su propia realidad, desde su propia constitución familiar, clase socioeconómica, condición física o intelectual, tenga la posibilidad de aportar a la sociedad, de soñar y sentir de verdad que sí puede cambiar el mundo si es capaz de asumir ese compromiso en forma vital.

Escribirles un libro a los jóvenes −y también a los padres− con el fin de encauzarlos o educarlos para que sean buenas personas no es fácil. En general, cuando les hablo o les escribo a los adolescentes se me producen dos temores. El primero es preguntarme cómo hago para romper con el peor mal que tienen los jóvenes, que es la soberbia y la sensación de que no tienen nada que aprender, porque todo lo saben, y, por lo tanto, cualquier persona que llegue a decirles o a contarles algo de sus propias vidas parece ser una lata, alguien extraño, ajeno, que viene a dar órdenes o a indicarles todo lo mal que lo están haciendo.

El segundo temor es cómo hago para que los adolescentes lean este libro o para que cuando vayan a una de mis charlas no lo hagan con la clásica postura de "qué lata", "¿qué me va a decir esta psicóloga que yo ya no sepa?" o "no tengo ganas de escucharla". Cómo hago, en fin, para llegar a ese grupo de jóvenes a través de variables emocionales, porque siento que, al final, el hecho de que ellos lean este libro tiene que ver con mi habilidad para poder alcanzar sus corazones, que es donde nadie llega o donde nadie intenta llegar.

Generalmente, las informaciones que tratamos de entregarles tienen el propósito de que adquieran conocimientos con los que puedan manejarse en la vida frente a los conflictos que se les presentarán en su proceso de crecimiento. Pero poco nos preocupamos de racionalizar esa información, que, en el fondo, debiera ser una transmisión de experiencias más que de datos teóricos.

Por lo tanto, lo primero que quiero dejar claro es que en este libro no habrá teorías psicológicas; sí un compartir experiencias acerca de la preadolescencia, adolescencia y adultez joven, que tienen que ver con investigaciones que he realizado en cada una de esas etapas, a través del contacto permanente con jóvenes a lo largo de Chile y en el extranjero, con diálogos con sus padres y familias. Así se han ido desplegando una serie de reflexiones, de miradas, acerca de dónde hay que colocar mayor énfasis en las distintas edades que los adolescentes van pasando.

Por otro lado, creo que es importante mencionar que de acuerdo con la mayoría de los estudios psicológicos, incluyendo los míos, todo parece estar corrido en dos años como promedio; por lo tanto, lo que antes se vivía a los once, hoy día se vive a los nueve, y así sucesivamente. Esto hace que para los padres sea más complicada la tarea de la educación, porque mucho antes de lo que esperaban empiezan a ver en sus hijos conductas y reacciones

para las que no están preparados. Todavía espe-
ran a un niño de nueve años relativamente regalón,
más casero, con menos necesidad de autonomía,
por ejemplo, pero se encuentran con que a los nue-
ve años —como lo vamos a ver en el capítulo de
esa edad— los niños ya están en una búsqueda de
conocimiento de sus propios cambios, de su propio
cuerpo, de sus emociones, lo que comienza a gene-
rar ciertas dificultades en la comunicación con los
adultos, ya sean sus padres, profesores o cualquier
símbolo de autoridad.

Entonces es relevante establecer que, si bien todo
se anticipó dos años, lo que voy a tratar de reflejar
en el libro es el cómo estaría funcionando hoy una
parte de los adolescentes. Intentaré mostrar tenden-
cias, no generalizaciones; tampoco pretendo sacar
conclusiones categóricas acerca del tema. Es sim-
plemente una invitación a reflexionar sobre cómo
los padres están manejando y a veces mal mane-
jando el crecimiento de sus hijos, y cómo éstos se
están aprovechando de este contexto en las distintas
etapas que viven.

Por otro lado, también es una invitación a los
adolescentes a que se miren a sí mismos, a que se

vean fotografiados en el cómo funcionan y quizás,
sólo quizás, puedan cambiar desde ellos mismos,
sin que sean presionados por sus padres. Lo que
pretendo es que los jóvenes, en forma autónoma,
sean capaces de tomar el libro y decir: "Esto a mí
me pasa, y si me pasa, ¿cómo lo oriento?, ¿cómo
lo cambio?", y desde allí generar la conversación
con los padres. Por supuesto que también podría
ser al revés, pero quiero que sea un libro para ellos,
porque en general no hay libros escritos para los
adolescentes en mi país. Los hacen leer a lo largo
del colegio, pero libros que les muestren lo que ellos
están viviendo no hay prácticamente.

No quiero crecer debería generar discusiones,
conversaciones y, por qué no decirlo, discrepancias
entre los jóvenes y sus padres o respecto de los contenidos del libro, pero lo importante es que origine
el debate para iniciar los procesos de crecimiento
que todos necesitamos y que son fundamentales en
una sociedad en la que está todo tan desordenado,
donde hay un exceso de información, donde cualquiera puede obtener lo que quiera a través de Internet y no necesariamente bien encauzado. Donde
la formación valórica ha dejado de ser importante

en pro de la excelencia académica y en pro de lo cognitivo. *Donde lo simple, lo obvio, lo cotidiano, el sentido común, ha dejado de ser visto en pro de grandes conceptos o de grandes armazones teóricas, que a las personas comunes y corrientes, con menos educación, con menos recursos, les cuesta mucho entender.*

Mi libro pretende llegar a ese grupo, a los que no terminaron 4° Básico, pero que en cambio tienen el MBA de la vida. Quiero que pueda ser transversal, como lo han sido los otros dos libros, a todo tipo de capacidad cognitiva, porque creo que justamente la persona que no alcanzó a llegar más allá de 4° Básico jamás va a tener acceso a un psicólogo ni a libros de la materia; entonces, mi intención es que No quiero crecer sea de fácil acceso para esa población que también necesita, igual que la del MBA, herramientas concretas para poder tener una vida más feliz.

Al final, en la medida en que nos conozcamos, podemos tener elementos de control y oportunidades de crecimiento y de reencuentro entre los miembros de la familia; al saber lo que al otro le está pasando, nos es más fácil poder comunicarnos y, por lo tanto, establecer bases sólidas de afecto.

A partir de ahí, podemos volver a un concepto de familia parecido al antiguo, pero que incorpore elementos nuevos, como la tecnología, la rapidez con la que estamos viviendo, los pocos tiempos reales que de alguna manera se puedan tener (que no sé si son tan distintos a los pocos tiempos que tenían nuestros padres, pero que por lo menos nosotros los percibimos como menores) o el cómo estamos utilizando los espacios dentro de las casas para poder establecer comunicaciones. El cómo los niños en la medida que crecen van necesitando autonomía, pero nunca dejan de requerir límites. El darles exceso de comodidad a nuestros hijos les puede producir un daño psicológico muy grande a lo largo de la vida, porque los hace poco autónomos, poco comprometidos, poco arriesgados a vivir. Eso lo veremos muy bien en el último capítulo cuando hablemos de la "Generación Canguro", que es la que nunca se quiere casar, que tiene los privilegios de los casados y los beneficios de los solteros, que tiene plata guardada, que tiene la polola afuera y que no tiene necesidad de comprometerse porque su familia le genera un colchón lo suficientemente calentito para no querer moverse de ahí.

Así es que la invitación es a recorrer a lo largo de la vida de los jóvenes, desde los nueve hasta los treinta años, observando los conflictos principales de cada una de estas etapas, los desafíos que hoy día cada una de estas fases trae incorporados y hacia dónde los padres tienen que apuntar los sueños de sus hijos para que ellos se puedan desarrollar en plenitud; para que cuando nosotros no estemos, sean las mejores personas que ellos puedan y que sea esto nuestra gran misión educativa como papás.

ADOLESCENTES

características generales

Es importante hablar de cuáles son las características generales que podemos encontrar o apreciar en cualquier adolescente, sin considerar las condiciones sociales, ambientales o incluso familiares. El primer punto relevante de mencionar es que los adolescentes se conforman como tal después de pasar por el período de la pubertad. Y la pubertad se caracteriza por los cambios hormonales o corporales que van teniendo a lo largo de su crecimiento y que comienzan alrededor de los nueve años, edad con la que también se inicia este libro.

Otra característica fundamental es que los

cambios corporales, cerebrales u hormonales desembocan también en características psicológicas. Cuáles son éstas hoy día: la lata o la falta de ganas para hacer cosas; la desidia, la escasa motivación, que hoy va más allá de un tema físico, porque se desprende también un tema más existencial, de poco movimiento o de poco motor, ayudado por factores modernos, como la tecnología que les entrega a los jóvenes todo hecho.

Por eso, yo he llamado a ésta la *Generación On Off*, la que todo lo prende, la que todo lo apaga, y la que con esa misma rapidez quiere que ocurran las cosas. Son jóvenes impacientes, que tienen poca tolerancia a la frustración, escasa disciplina, son poco rigurosos y no funcionan sobre la base del rigor, fundamentalmente porque tienen padres que les han facilitado cada vez más las cosas; por lo tanto, ellos terminan careciendo de un temple firme y sólido.

Son adolescentes con escasez de sueños. En general, no tienen grandes luchas o grandes batallas, que no sea estar en contra de otro y no tratar de pelear por ser ellos mejores. Creo que nos ha costado a los adultos hacerles entender que la competencia es algo que se vive con uno mismo... quizás porque los adulos tampoco la vivimos así.

Otro tema significativo es lo que yo llamo la *Generación Banda Ancha,* que es la que apunta a la rapidez con la que las cosas tienen que ser vividas, procesadas, cambiadas. Se dice que hay que cambiar de pareja rápidamente cuando se acaba una relación, que se tienen que procesar los dolores cuando se viven. No se les da tiempo a los programas de TV para que le gente se acostumbre a ellos, sino que el tema es funcionar en un circuito efectista, donde si las cosas no resultan rápido, entonces no sirven; hay que cambiarlas por otras.

Estamos en una sociedad que borra todo lo antiguo para poder caer en lo nuevo. Que no repara nada, porque es más barato incluso comprarse cosas nuevas que arreglar cosas viejas. Nos hemos ido alejando del concepto de reparación y, por supuesto, también del perdón. No nos permitimos vivir relaciones que puedan tener algún índice de reparación o de capacidad de perdón. Los vínculos afectivos están considerados más como sensaciones o sentimientos, que como decisiones. Y muchos de los comportamientos de los adolescentes están basados en conductas más bien instintivas, "animalescas", ni siquiera emocionales, mucho menos, espirituales o con algún sentido.

Podríamos hablar también de una escasa tolerancia al aburrimiento. Porque siempre los adolescentes tienen que estar entretenidos por cosas que están pasando. Todas estas características las vamos a ir viendo paso a paso, edad por edad, en qué etapas se presentan con mayor fuerza y cómo los padres o los adultos a cargo podemos ayudar a modificar todos estos males que se han ido encarnando en la gran mayoría de los adolescentes y que resultan transversales a los niveles socioeconómicos bajos o altos.

Lo que sí cambia, por supuesto, con el nivel socioeconómico son los temas o las condiciones. Si en una población hablo, por ejemplo, del vino en caja, arriba, en el sector alto, voy a hablar del vodka o de otro tipo de trago más sofisticado. Pero en general, los comportamientos son los mismos y las características también. Así, un niño que no tenga computador vivirá los procesos de la tecnología a través de un cibercafé o gracias al computador de algún amigo o al PC del colegio, pero de todas maneras va a entrar también en el mismo circuito; quizás producto del fenómeno de globalización al cual estamos llamados.

Otro punto relevante es cómo esta generación se ha ido separando de los vínculos familiares, sobre todo de los abuelos, de los más viejos. A los padres les toca verlos más seguido, a pesar de que tampoco hay mucho contacto con ellos, porque no se sientan a la mesa o porque no comparten espacios en común. Cada vez se conversa menos en las familias con la excusa de que tenemos poco tiempo; pero la verdad es que yo creo que eso no es cierto. La verdadera razón es que tenemos otras prioridades. Si hoy dedicamos una hora para ver las noticias por televisión, entonces tenemos lo mismo, una hora, para estar en familia. Y si estuviéramos una hora en familia, todos los días, todos juntos, tendríamos claramente otra constitución de familia. Hemos elegido ver las noticias, hemos escogido ver una teleserie, jugar un videojuego o ver un programa de TV... ¡y no compartir con el otro!

Las piezas de los niños están generalmente a puertas cerradas, cuando existe la posibilidad de que cada hijo tenga su dormitorio. Si hay menos espacio dentro de la casa, los niños salen a las calles, donde se educan casi por sí solos, con toda la violencia, las drogas y los riesgos que en cada esquina encuentran producto de la falta de control y de participación de padres que no están. Los niños están solos, se educan solos, comen solos y, por lo tanto, encuentran rápidamente sentido de pertenencia en la esquina más cercana.

Como decía anteriormente, la importancia de la vejez en esta sociedad está en crisis. Enviar un currículum después de los 35 años tiene claramente un riesgo mayor de no encontrar trabajo. Hay que valorar la edad, la experiencia, la formación, los años de trabajo. Hay que valorar en la familia al abuelo o a la abuela, aunque repita treinta veces la misma cosa, porque es parte de la historia, ¡es parte de mi historia emocional!

Sin ella, yo no soy lo que soy, y si no la conozco, no conozco la historia de mi familia, la historia de mi país, ni las raíces de cómo se fueron formando las cosas. Debo aprender a valorar y agradecer lo que hoy día existe, lo que hoy día tengo, en pro del testimonio de los que han vivido antes que yo. Creo que eso es algo que tenemos que volver a apreciar. Volver a imprimirles las fotos a los abuelos para que ellos puedan descansar en sus casas viendo un álbum de fotos y no a través de pantallas de computador, que además los aterrorizan. Antes eran felices o éramos felices con 36 fotos; hoy día tenemos 548 en un computador que rara vez vemos. No nos sentamos todos juntos a reírnos de las fotos antiguas. Tenemos cinco mil canciones en un *pendrive* que jamás vamos a alcanzar a escuchar y que de una u otra forma nos hacen sentir que mientras más cosas tenemos, más felices somos. Pero no es así, porque antes, cuando teníamos bastante menos, pareciera ser que andábamos más contentos. Ése es uno de los temas que esta generación ve con angustia y preocupación porque no saben cómo hacerlo para poder disfrutar de la etapa en la que viven.

Otra de las características de los adolescentes es la facilidad con la cual tienen contacto con los derechos y muy poco contacto con los deberes. Están menos conscientes de sus obligaciones, de cuáles son las cosas que tienen que lograr, pero sí tienen plena claridad de cuáles son sus derechos y los reclaman en forma airada y violenta, con lo cual los adultos, padres y profesores les han tomado temor a estos niños, impidiendo la postura de límites, de disciplina y de rigor frente a la educación.

Algo nos pasa respecto del tema de los límites; nos da susto llegar a esquemas autoritarios. Hemos caído en una confusión entre el concepto de autoritarismo y de autoridad. La autoridad es necesaria, porque genera limpieza, coherencia y la sensación de estar en un mundo seguro. El autoritarismo, en cambio, es el abuso de esa autoridad. Claramente nosotros no aplicamos autoridad, porque estamos cayendo en la permisividad, en un concepto de amistad con nuestros hijos que mal entendido significa no poner límites y no ser lo suficientemente restrictivos y ordenados. Un niño necesita eso, aun cuando en la adolescencia parecieran ser autónomos.

Nos encontramos frente a niños que se han ido acostumbrando a rechazar el cariño; pero realmente lo rechazan o levantan el hombro para escabullir un abrazo apretado de su madre, no porque que no lo quieran, sino porque simplemente están poniendo a prueba la capacidad de esa madre para tolerar la frustración y seguir insistiendo.

Los padres no nos podemos cansar de ser padres; por lo tanto, no nos podemos cansar de abrazarlos, de decirles que los amamos, de rascarles la espalda, de sentirnos orgullosos de ellos, de sacar el máximo provecho de sus talentos, de transformarlos en las mejores personas que puedan llegar a ser; de pulirlos y ese pulir duele muchas veces. No puedo ser una madre agradable todo el tiempo; tengo que ser también desagradable en algunas oportunidades.

El educar es una tarea que muchas veces duele en el alma y debo tener la capacidad para poder entender que ser padre o madre es una misión, no es una tarea que yo tickeé todos los días y que quedé contenta porque mis hijos me encontraron "buena onda". Ser padre o madre es una misión que dura toda la vida y sólo termina cuando uno de los dos fallece. Y si a mis 43 años mi padre me llama la atención, yo agacharé la cabeza y lo escucharé porque es autoridad, porque es un ser con el que me he reconciliado a lo largo de la vida, con el que he logrado sentirme cercana y tremendamente protegida. Lo mismo pasa con mi madre. Por lo tanto, creo que ese proceso lo vivimos todos los seres humanos y a cualquier edad, no importa que ya seamos grandes. Mientras más viejos nos volvemos, más terminamos agradeciendo las cosas que nuestros padres nos dieron y cambiando aquellas que nos hicieron sufrir, pero que sin duda fueron un aprendizaje como toda experiencia dolorosa.

Éstas son las características generales de los adolescentes: el buscar sueños, el tener que diseñar un proyecto de vida, el poder descubrir a cuál condición sexual fueron llamados, si a una condición heterosexual u homosexual. Porque la bisexualidad, como condición, no existe. Es un juego electivo de homosexuales, mayoritariamente no asumidos, o de heterosexuales que están jugando a ambos bandos. Pero en general, la adolescencia implica un camino de hallazgos, donde yo puedo descubrir cosas negativas en mí y decidir qué tipo de adolescente quiero ser, que es el gran desafío de la adolescencia. Eso lo vamos a analizar y a descifrar en los capítulos del libro en forma muy precisa en cada una de las etapas de la vida.

Algo que también llama mucho la atención es el tema del miedo, lo que hace caer a esta generación en conductas de riesgo. El miedo tiene dos elementos: uno positivo y uno negativo. El positivo es el que me protege y me avisa de los peligros; por lo tanto, me hace no cometerlos de forma innecesaria en pro de un beneficio mayor que es el autocuidado. El miedo negativo, en cambio, es el que me impide avanzar producto de trancas internas o del clásico "no va a resultar", que frena que logre mis sueños y que trabaje por ellos. Tiene que ver un poco con el apabullamiento social de destruir eso en lo que creo o en lo que quiero trabajar; es una destrucción provocada porque el resto me dice que no va a funcionar.

El tema del miedo pareciera ser que hay que vencerlo, pasar por sobre él; por lo tanto, el niño que se arriesga a tomar alcohol antes de los 18 años está venciendo el miedo, está siendo valiente, y eso es reforzado por su grupo. También el miedo juega un rol importante en la actividad sexual y en la delincuencia, en el atreverse a robar para probarle al grupo que tengo valentía y que soy un hombre grande; soy reforzado y valorado por eso, por haber vencido el miedo.

Claramente el miedo no es necesario vencerlo del todo. No tengo por qué vivir todas las experiencias en la vida para poder hablar de ellas o sentir que he crecido. Para decir que he madurado no necesito experimentarlo todo. Yo puedo ser mucho más maduro y equilibrado diciendo que no, ser más valiente. Es más difícil hoy decir que no al sexo, a la droga o al alcohol, porque eso –como estamos en el mundo al revés– genera claramente un fuerte castigo social. Entonces, además de hacer las cosas bien, estos adolescentes tienen que cargar con la sanción social de sentirse ridículos y distintos. Generalmente, sus propios padres son castigados también por ser demasiado diferentes al resto de los padres, por ir contra la corriente y por ser anticuados. Esto genera, por lo tanto, muchos conflictos familiares, justamente por hacer lo correcto.

Hay que reflexionar qué pasa con el miedo; por qué es necesario traspasarlo si podemos usar el factor protector de éste.

Otra característica general de la adolescencia tiene que ver con el aburrimiento, con la tolerancia, con aprender a entender las diferencias, con ver a mis padres como seres que, a pesar de ser estrictos conmigo a veces, en el fondo tienen una noble intención, que quizás no me va a beneficiar ahora, pero sí cuando tenga treinta años. Entender eso en el centro es lo que me permite seguir amándolos, pero esto sólo se consigue cuando existe una buena comunicación familiar y cuando hay valores y límites claros dentro de la familia; de otra forma es imposible que un niño pueda sentir esa incondicionalidad a pesar de ser castigado o reprendido, es decir, ser educado para asumir las consecuencias de sus actos.

También dentro de los peligros de la adolescencia está claramente la tecnología. Muchas veces los adultos no tienen acceso a ella por desconocimiento o por miedo a meterse en el sistema. Tampoco sabemos entonces si nuestros hijos tienen *fotolog* o si pertenecen a Facebook. Por otro lado, la sexualidad prematura es uno de los peligros mayores para los adolescentes, porque muchos de ellos no están preparados física, psíquica, emocional ni espiritualmente para poder iniciar una vida sexual. Nos encontramos también con la iniciación en las drogas y sobre todo en el alcohol, que es la puerta de entrada a todo lo anteriormente dicho. Además, está el hecho de cómo estos adolescentes manejan los cambios corporales que son tan distintos a los de nuestra generación. Hoy día una joven de 15 años tiene cuerpo de mujer, se ve como mujer, no como niña, como nos veíamos nosotras. Y con los hombres pasa lo mismo.

Ha habido también cambios en las conductas de género. A veces los hombres parecen más afeminados; usan planchas para alisarse el pelo, por ejemplo; las mujeres se ven bastante más amachadas y más gruesas, incluso corporal-mente. Y, por supuesto, hay una generación de niñitas que tienen un cuerpo ya de mujer grande, no teniendo la emocionalidad, la espiritualidad ni la madurez correspondiente a ese cuerpo. Entonces se produce una contradicción, que es uno de los peligros importantes que los padres debemos aprender a manejar.

Pero también nos encontramos con adolescentes –en el capítulo que viene– que yo llamo *Los verdaderos adolescentes bacanes*, que son los que están haciendo bien las cosas. Porque hay un montón de adolescentes que se proyectan hacia los otros, que quieren cambiar los países en los que viven, que trabajan por sus sueños. En cambio, los que llamo *Adolescentes bacanes* son los que en Chile parecen ser los jóvenes que toman, que besan a cualquier mujer o a cualquier hombre, que flojean, que no estudian. Esos adolescentes son reforzados, observados y mostrados en las noticias como representantes de una generación.

DE 9 A 11 AÑOS
cambios

La primera etapa que vamos a empezar a describir es la que se inicia a los nueve años aproximadamente. Hoy día, todos los especialistas más o menos concuerdan que comienza en lo que se llama la pubertad o inicio de los cambios corporales, sobre todo los caracteres sexuales secundarios dentro de los adolescentes, los que tienen que ver con el aparecimiento de vellos, de mamas en la mujer, con el cambio de voz en los hombres, etcétera.

Todos estos cambios de formación corporal hacen que a estos niños se les produzca una sensación de extrañeza con respecto a su cuerpo.

Los pies les molestan, no los logran acomodar, generalmente los tienen que mantener estirados, porque doblados les genera la incomodidad de que son más largos que el resto del cuerpo. Comprarse ropa en este período, tanto para hombres como para mujeres, es difícil, porque siempre las cosas o les quedan largas de mangas, cortas de pies o al revés, dependiendo de la estructura corporal que estos adolescentes tengan.

A estas transformaciones corporales se añaden situaciones que están asociadas a la autoestima. Los adolescentes se vuelven más desgarbados, aparecen las graciosas espinillas, el pelo se vuelve graso y cuesta más mantenerlo limpio. Por lo tanto, ellos tienden a experimentar muchos cambios emocionales con respecto a su imagen. Hay días en que las mujeres se sienten más lindas, otros en que se sienten más feas; algunas tienden a engordar, otras a adelgazar mucho, a engrosarse. Los hombres empiezan a aumentar la contextura corporal torácica; muchos desarrollan un grado de tetillas, que a veces daña su autoestima. Hay que manejar también los vellos, que de alguna manera los hace sentirse grandes, pero al mismo tiempo les produce mucha incomodidad.

La palabra que simboliza en forma perfecta esta etapa de la vida es justamente la palabra cambio. Aquí todo cambia. Entre los nueve y los once años, todo se está modificando permanentemente: el cuerpo, la estatura, el peso, la contextura, el pelo, la imagen corporal de la cara. La nariz tiende a hacerse más protuberante, porque el rostro no ha terminado de acomodar su estructura facial. Los adolescentes se sienten en general incómodos con la proporción cintura-pies, cintura-tronco. Las orejas también adquieren una preponderancia importante; generalmente, se las perciben más grandes en proporción al tamaño del resto de la cara.

Y toda esta metamorfosis es bastante silenciosa, es poco comentada, se hace evidente quizás cuando uno compra ropa o va al médico, pero no se habla desde lo profundo, desde cómo este adolescente vive solitariamente todo este proceso de cambios corporales.

Empieza también a aumentarles el sueño en

forma notoria, cosa que a ellos les produce mucha extrañeza. Se incrementa la sensación de desidia o flojera, lo que los lleva a permanecer "echados" gran cantidad de tiempo, sin mucha explicación para ella o para él. El hecho de estar así los hace parecer flojos, situación que antes de estos nueve años no experimentaban. Antes podían sentir incluso placer al hacer sus tareas y cumplir con sus deberes.

Producto de todos estos cambios hormonales, bioquímicos y físicos, ya comienzan a percibir la "lata", que aparece por primera vez a esta edad. En la generación de estos jóvenes existe una dimensión adicional de lo mismo que podría haber experimentado en la actualidad la generación que cumple 40 años, o sea, sus padres. Porque nuestra "lata" era más bien física, de movimiento. Tendíamos a quedarnos pegados, estancados, físicamente hablando. La "lata" actual va un poco más allá, es más bien existencial; es una "lata" a la vida, a los deberes, a las obligaciones, que se empiezan a apreciar como una carga.

Además, aparecen otros cambios, que son los

cambios de personalidad. Los adolescentes se vuelven más introvertidos, más pudorosos, se ocultan más de los adultos, ya no quieren tanto regalonear en la cama con los papás. Y los padres, lamentablemente, a veces permiten este alejamiento, con lo cual los niños se empiezan a sentir más solos.

Estos adolescentes tampoco quieren contar muchas de las cosas que viven a lo largo del día y se vuelven más agresivos. Por primera vez comienzan a sentir que las cosas les molestan, sin saber mucho por qué. Logran experimentar una sensación que antes era desconocida para ellos que es la angustia, y aparece como un apretón en la boca del estómago, como un respirar corto, donde tampoco ellos logran descifrar mucho a qué se debe esto. La mayoría de las veces tiene que ver con cambios hormonales, más que con cambios vivenciales o psicológicos.

Todos estos cambios emocionales van generando un aislamiento y, por lo tanto, conflictos con sus padres, que los empiezan a desconocer en este proceso de crecimiento. Les comienzan a preguntar en forma muy incesante: "¿Qué te pasa? ¿Por qué estás así? Tú no eras así antes, yo no te crié para esto". Frases que a ellos les producen además mucha culpa, porque tampoco tienen grandes reflexiones y empiezan las clásicas respuestas agotadoras para los papás frente a cualquier pregunta que se les hace, a lo cual ellos responden: "No sé, no sé, no sé". O "me da lata hacer esto", "No quiero ir...".

Todo esto comienza a generar en el sistema familiar cierta inseguridad en la forma en que se está educando a los hijos. "¿Será que lo tengo que obligar?", es una de las preguntas de los padres. "¿Será que tengo que presionarlo a ir donde su abuelo, por ejemplo, o lo dejo que no vaya?". "¿Respeto que no quiera ir a misa o a un rito judío o al templo o lo dejo en la casa?".

A ese niño o niña esta inseguridad le hace sentir que muchas cosas ya tienen que ser decididas por él o ella, cuando no se sienten preparados para tomar tales decisiones, cuando no sienten que tienen los recursos internos ni externos para poder enfrentar esos temas; ahí la labor de los padres es fundamental.

Hay que obligar a ese niño a ir donde el abuelo, a asistir a la iglesia de la religión que practique la familia; hacer que participe de ritos de almuerzo, como sentarse a la mesa; poder involucrarlo en situaciones como ir al supermercado, a la feria, a pagar cuentas. Que el niño se involucre en esos procesos para que esta confusión interior que él tiene pase a segundo plano en pro de una vivencia familiar más en conjunto, más participativa.

El papá y la mamá deben asumir este proceso de cambio no de manera negativa, sino de un modo positivo. Como un proceso de crecimiento y no como una cosa que les está arruinando la vida. Como algo que está haciendo a mi hijo transformarse en adulto.

Esto también va a ir acompañado inevitablemente por la menarquia o la primera menstruación de la mujer; es de esperar que aquello los padres sean capaces de festejarlo y no mencionarlo como un problema. Ojalá los papás le regalaran flores a su hija ese día, aunque la niña se sienta avergonzada, o que la invitaran a comer para celebrar ese acto. Les aseguro que es algo que su hija no va a olvidar jamás.

En el caso de los hombres, ellos tienen la polución nocturna, pero el primer indicador de este tránsito físico, emocional y de valoración social es mucho más difícil evaluarlo. Primero, porque los niños no tienden en general a contar cuándo la tuvieron. Segundo, porque la mayoría de las veces la detecta la nana o la mamá que descubrió algo en la sábana o en el pijama, aunque siempre uno tiene dudas si eso se debió a una conducta masturbatoria, la que también empieza a aparecer en esta edad. Y eso genera confusiones en el cómo enfrentar el tema con el niño.

Los papás que tienen éxito en este proceso son los capaces de hablar el tema con toda naturalidad. Poder decirle a ese hijo, en una situación de intimidad: "Mi amor, es probable que a esta edad te ocurra que despiertes en la mañana y te des cuenta de que tuviste tu primera eyaculación. Esto es normal, forma parte de tu crecimiento y tiene que ponerte contento y no sentirlo como algo que te invada".

Lo mismo en el caso de la menstruación. Jamás señalar que las mujeres "nos enfermamos" una vez al mes, sino que menstruamos, que tenemos regla, pero no decir que nos enfermamos, porque inmediatamente hace que esa adolescente asocie este período a un malestar, a algo incómodo; que además trae consigo, porque así está dicho culturalmente, los días previos, que es lo que se llama síndrome premenstrual. Son días de molestia para el resto, anda como "idiotita" dicen, "está a punto de que le llegue".

Estas frases que usamos las mujeres de que "me llega", "me va a bajar la menstruación", "¿no te ha bajado?", como si fuera algo que viene de los astros o de la luna, como algo externo a mí, donde yo no soy protagonista de lo que me está pasando, generan –sobre todo en mujeres occidentales, latinoamericanas, urbanas– una valoración de la menstruación negativa, porque siempre está asociada a esta "enfermedad" que viene una vez al mes, que además es un lío, porque me impide ir a la playa en el verano, me hace sentir hinchada, me salen espinillas los días antes, me pongo mal genio, ando sensible y no se me puede hablar.

Si uno observa, por ejemplo, a indígenas mapuches o habla con indígenas guatemaltecas (a mí me tocó convivir con ellas), se da cuenta de que perciben como un regalo la menstruación; es un signo de sabiduría, un acto de limpieza corporal, una descompresión desde lo físico, donde se eliminan tensiones, angustias y lo peor de nosotros en forma maravillosa. Ellas entran en contacto con la tierra y se sienten más sabias, y también más sensibles en un buen sentido, porque son capaces de desarrollar con mucha más fuerza en este período la intuición femenina, para después poder depositar esto en su tribu o en el pueblo en el cual habitan.

Por lo tanto, es fundamental positivizar este período de la vida. Que sea visto desde el papá como un regalo y desde la mamá como un testimonio maravilloso y no como he escuchado muchas veces a las mamás decir: "Hija, qué terrible, ya te llegó, ahora hay que empezar a cuidarte". Es la sensación de que hay que vigilar a la hija porque ahora ya puede quedar embarazada. Entonces empieza todo un temor alrededor: hay que cuidar a esta hija que está creciendo porque le llegó esta cosa maléfica que la va a acompañar por muchos años.

En cambio, si la positivizamos hacia un proceso de crecimiento real, evidentemente que es más fácil que esa niñita lo pueda experimentar como un regalo y como un florecimiento de su propia identidad que la hace reencontrarse con lo que significa ser mujer y no al revés. En el caso del hombre hay dos cosas clave que manejar. Una es el tema masturbatorio; me podría referir también a la masturbación femenina, pero ocurre en bastante menos porcentaje que la masculina, fundamentalmente por un tema corporal. Nosotras tenemos menos acceso visual a nuestros órganos sexuales; por lo tanto, tendemos a tocarlos o a conocerlos con menor frecuencia que los hombres, que por tenerlos a la vista y por la erección matinal, saben que algo raro les está pasando y tienden a buscar o a curiosear con ese órgano mucho más que la mujer.

Probablemente, las mujeres debiéramos conocer mejor nuestra sexualidad y nuestros órganos corporales desde chicas para saber cómo funcionan y frente a qué responden. No estamos tan entrenadas para la masturbación, porque además el acto sexual futuro que esa niñita va a tener está depositado en el placer con el otro. Esto es parte de nuestro inconsciente colectivo como mujeres, por un tema cultural más que estructural. No nos produce el mismo placer a nosotras buscar un placer individual, sola. Hay mujeres que sí lo hacen fantástico y logran reencontrarse con ese cuerpo a solas y lo disfrutan, pero siempre va a ser más completo realizarlo con otro.

En el caso del hombre, como es una descarga física que no está acompañada por un componente emocional, se empieza a producir un cierto comportamiento masturbatorio. Esa masturbación en sí misma no tiene nada de malo. Y creo que es importante poder reconocerlo con los hijos. Lo que sí es primordial destacar es que la conducta masturbatoria cuando se vuelve muy repetitiva es un indicador de conductas ansiosas o angustiosas en los niños varones que hay que descubrir. Es un síntoma de que algo no está funcionando bien. Generalmente tiene que ver con habilidades sociales escasas, sobrepeso, aislamiento social; son niños que pasan mucho tiempo solos, muy adictos a la tecnología y a los videojuegos, lo que les aumenta la ansiedad, y, por lo tanto, la conducta masturbatoria es una descarga frente a eso. Así como las niñitas pueden estar hartas horas frente al computador y después de eso lo que van a hacer es comer, generalmente cosas dulces, harinas, azúcares, para poder de una u otra manera calmar la ansiedad que les provocó el estar inmersas en la tecnología.

Entonces la conducta masturbatoria representa un síntoma o signo de cosas que los padres tienen que preocuparse de descubrir; está mostrando ese hecho de que mi hijo no es capaz de verbalizar o de solucionar con otras variables. El deporte, por ejemplo, es una estupenda manera de botar la misma ansiedad y lograr que la conducta masturbatoria no se presente. De otra forma tiende a generar adicción, y eliminar una conducta adictiva masturbatoria de un niño o de un adulto es un tema complejo; no es menos complicado que otra adicción. Cuesta mucho eliminarla, porque se vuelve un vicio nocivo para el alma, porque deja la sensación, como todo vicio, de vacío interior o de mucha soledad después de que esto se experimenta o se vive. Este tema no se comenta mucho, pero es importante hablarlo. Cada vez que a mí me toca abordarlo en las charlas, los niños lo agradecen, porque uno les aclara muchas dudas.

Hay una gran cantidad de mitos relacionados con la masturbación: que el pene te va a quedar chico, que vas a tener mala sexualidad en el futuro, que te va a dar tendinitis en la mano, que te van a aparecer verrugas en la palma que utilizaste, etcétera. Millones de cosas que son expresadas evidentemente por los adultos y nada de eso pasa. Pero sí es importante que los niños tengan claro, como información, que la masturbación excesiva es un signo de otra cosa, de otro problema, no como una conducta negativa en sí misma; algo está pasando en ellos que hace que eso suceda.

Por otro lado, los cambios de voz tienen también consecuencias de autoestima muy importantes en los niños. La famosa era de la voz de pito complica mucho la expresión verbal de los niños varones, sobre todo cuando tienen que exponer trabajos en sus colegios. Es importan-

te que los profesores y profesoras pongan atención en este tema y que controlen el hecho de
que los niños no se burlen del compañero que
está exponiendo o que utilicen otras técnicas
metodológicas en ese período para que el niño
no tenga que evidenciar estas variables y matices de voces que generan risas, burlas y *bullying*,
en algún momento.

También se asocia a este mismo concepto la
etapa donde el *bullying* comienza. En general,
como se produce una gran cantidad de cambios
corporales, hay muchas cosas de las cuales nos
podemos reír: del obeso, del que no le ha crecido el pelo, del que es extremadamente peludo,
de la niñita que engordó mucho, de la que es es-
pinilluda, de la que usa lentes, de la que está más
pequeña que el resto, del que creció en extremo,
del que tiene mucha espalda, del que no tiene
nada y le dicen el flaco.

Por lo tanto, es importante aquí la conciencia
familiar respecto de la diversidad; de entender
en la familia que esto es un tránsito, que es un
proceso de crecimiento. Le tengo que enseñar a
mi hijo a empatizar con la realidad de los otros, y

que él tiene que asumir su cambio. Aceptar si no tiene pelos o si tiene pelos en exceso; si es alto o bajo, y no entrar a discutir con los otros para defender una posición que es insostenible. O sea, si a mí me molestaban por mi apellido Sordo, yo no podía reclamar esa molestia, aunque cada vez que pasaran la lista dijeran: "Señorita, repítale el apellido porque ella no escucha". Yo aprendí a reírme de eso, porque era verdad, mi apellido es divertido. Y si yo soy más alta que el resto y me dicen "palitroque", "edificio" o lo que sea, me tendré que aprender a reír de mi altura. Es parte de mi proceso de autoconocimiento, y en esto los padres son importantes.

Que no digan frases como: "No les haga caso, mi amor, es pura envidia, porque a todos les gustaría ser igual de altos que tú" o "mi amor, no tome en cuenta que le digan que está gordita, porque están picados, porque usted tiene estupendas notas". Si ella está con sobrepeso, yo me tengo que hacer cargo como mamá de ese sobrepeso y decirle: "Efectivamente te deben estar molestando porque estás más gordita que el resto. Por lo tanto, yo como mamá te voy a ayudar a que bajes de peso no para complacer al resto, sino porque el sobrepeso a ti no te hace bien. Y si te molestan con eso, tú di: 'Sí, estoy en proceso de bajar de peso, porque dados los cambios que estamos teniendo todos nosotros, tú por tu voz, tú por tu estatura, tú por tu obesidad, yo me tengo que preocupar del tema de mi sobrepeso".

Todo eso disminuye la frecuencia de molestar dentro del circuito y podemos entender que el otro está experimentando realidades distintas a las mías, pero que en definitiva todos estamos en el mismo proceso. Ningún niño está ajeno a los cambios. Los papás, por lo tanto, tenemos que desarrollar la empatía, la capacidad de compresión para que esos niños nunca se vuelvan agresores, porque en esta etapa, sobre todo cuando ya bordean los 11 años, ya podemos tener niños agresores en los cursos. A ellos les es más fácil agredir a otros porque así nadie se fija en sus propias inseguridades, sino que están pendientes de la conducta agresora que tuvieron. Estos niños tienden a ocultar bajo la agresión que ejercen problemas familiares que los descargan en el colegio o diversas inseguridades internas. Hay un tema en el cual me tengo que detener, porque no deja de ser complicado, que es la configuración de amistades por género. Efectivamente, las mujeres en esta etapa empiezan a tener el concepto de la "mejor amiga" y esto a la larga esclaviza, amarra a una niñita a otra niñita, y como están en un proceso de cambio constante, lo más probable es que una de las dos termine por desilusionarse de la otra no por maldad, sino porque "crecí, porque me interesan otras cosas, porque si hace una semana me encantaba comprarme ropa, ahora no tengo ganas y te lo digo y tú te sientes mal con eso".

Entonces se produce toda una serie de desilusiones: que ya no soy amiga de ella, etc. Esto genera, además, toda una complicación en las madres de estas niñas que crecieron siendo amigas. Se empiezan a llamar y comentan: "¿Qué les pasa a nuestras hijas? Bueno estarán creciendo, ya se les irá a pasar", y no le van a dar mayor importancia, que es la conducta más sana. Porque de lo contrario se forma un problema, donde obligamos a las niñitas a que se hagan amigas de

nuevo, porque las mamás son amigas también.
Y lo peor es que a esta edad también se forman triángulos, una combinación fatal. Porque siempre una de estas tres amigas va a tener la sensación de que la consideran menos, de que fue la última en ser invitada al cine o a un cumpleaños. Esa sensación empieza a generar verdaderas crisis de angustia en las niñas y en forma muy intensa. A veces por mal manejo de los adultos o por la sola concepción de que las mujeres tenemos de la amistad: que para poder tener amigas, éstas deben ser exclusivas.

Nos cuesta entender que lo más sano es que yo sea amiga de todas, ojalá de la mayoría de ellas. Así con una podré hablar de religión, con otra me reiré porque es divertida y cada vez que me quiero reír me junto con ella. Hay otra con la que me encanta salir a comprar ropa, y así sucesivamente. Cuando las mujeres empecemos a entender que no vamos a encontrar el ser completo, que nos gratifique en todas las cosas que nos sucedan, menos a esta edad, en la cual ni siquiera sabemos lo que nos pasa, entonces lograremos vivir mejor la dimensión de la amistad.

Además, como las mujeres maduran antes que los hombres, empiezan a establecer vínculos más profundos entre ellas, con lo cual se apartan de los hombres, que siguen jugando a la pelota, que siguen molestando, donde la clásica frase de las niñas de esta edad es: "¡Para, Joaquín; para, Joaquín! Por favor, deja de molestar". Y Joaquín insiste y vuelve a insistir, porque los hombres tienen a esta edad un pensamiento que llamo "adhesivo", que es quedar pegados en molestar. Por lo tanto, fastidian, arrojan agua, ponen un cartel en la espalda del amigo, etc. Muchas veces lo hacen sin mala intención, porque son bastante más inmaduros, más niños, que las mujeres, que a esta edad ya empezaron a vivir en otra dimensión las relaciones interpersonales.

Por lo tanto, los intereses de niños y niñas entre los nueve y once años son distintos. La niñita va a empezar a preocuparse de verse bonita; el niñito va a querer un videojuego. Y ésta es la edad crítica para los videojuegos, aquí hace crisis el tema, porque van a querer tener el WII y todas sus versiones, porque de alguna manera no tienen muchas habilidades sociales. No saben hablar, les cuesta desarrollar una conversación larga, entonces el juego es un vínculo de comunicación. Y ahí es importante que los papás reflexionen. Si hay un juego que yo rescato en eso, es el WII, porque te permite jugar con tu hijo y además hacer ejercicios. Los otros juegos, en cambio, son muy individuales y, por lo tanto, con poco control de parte de los padres. En las niñitas es importante percibir los cambios de peso. Así como en el hombre la conducta masturbatoria es un indicador de conflictos sociales, en las niñitas el hecho de comer excesivamente es un fuerte revelador de síntomas ansiosos, sobre todo con amistades, porque lo más probable es que el problema tenga que ver con otras mujeres, con el rendimiento o con habilidades sociales. Por lo tanto, el cuánto come, qué come o cuán ansiosa está son factores que los padres, sobre todo la mamá, debieran observar y aprender a regular en forma clara. Los papás tienen que entender cuáles son los cambios corporales que están sufriendo sus hijos o hijas, los cambios de carácter que también está experimentando, los cambios sexuales que viven producto de la llegada de la menstruación y de la primera polución nocturna, los cambios amistosos que de alguna manera tienen. Toda esta metamorfosis interna y externa produce inevitablemente una baja en el rendimiento escolar. En general, son pocos los niños que logran mantener centrado el tema del deber como algo asociado a la voluntad y al esfuerzo, porque las ganas evidentemente no las tienen; están "desinflados" corporalmente. Y los niños que logran mantener la estructura del deber tienen que aceptar además la primera sanción social de ser llamados *nerd*, porque no juegan igual que los otros niños, tienen poca capacidad deportiva, son más torpes. Por lo tanto, compensan esta falta de habilidad social con los estudios. Esta escasa adaptación debiera ser reforzada por los padres, quienes podrían llevarlos a deportes colectivos o individuales para que de alguna manera sintieran que tienen alguna destreza para algo que no sea solamente el estudio.

Pero los niños que mantienen un buen rendimiento académico son los menos, y generalmente son más mujeres que hombres, porque a ellos les cuesta retener la información y se les olvida más la materia a esta edad, y así siguen durante varios años durante la época escolar. En los colegios mixtos, por ejemplo, las mujeres tienen en general mejores notas a esta edad que los hombres.

En el ámbito del rendimiento creo que lo más importante es recalcar el tema de la voluntad, la valoración del esfuerzo, de que en la casa nunca se pierda la conciencia del deber por sobre el placer, el desarrollo y la búsqueda de talentos de mis hijos, que es la gran misión de los papás a esta edad. Ya puedo percibir como papá o como mamá para qué es bueno mi hijo, y empezar a buscar medios municipales o particulares para canalizar esos talentos, aparte del refuerzo constante de lo académico, que es en lo que tienden a detenerse mayoritariamente los papás. De hecho, cuando uno les pregunta a los niños a esta edad qué es lo que más les preocupa a tus papás de ustedes, ellos responden que el rendimiento académico. Se produce el absurdo de que los padres pensamos de que si un niño tiene buen rendimiento, está funcionando bien en la vida, entonces pareciera ser que no hay problemas subterráneos, y no necesariamente eso es así. Un niño puede estar escondiendo conflictos potentes con muy buenas notas. Ahí es donde recalco estos otros matices, que tienen que ver con el tema de la comida en las niñitas, con la masturbación en los hombres, con la adicción a los videojuegos, etcétera.

Hice una investigación que aparece en el libro que escribí con el humorista chileno Coco Legrand, donde pruebo que los niños a esta edad no pueden o no debieran estar expuestos a una pantalla más de una hora al día, incluyendo cualquier tipo de pantalla. Entonces, si un niño se escapa de ese promedio, puedo empezar a interpretar que ese niño va a ser más desobediente, va a tender a pelear más con los hermanos, va a comer más, desarrollará problemas de sueño, estará más irritable y también se debilitará su contexto social. Por lo tanto, el tiempo que mi hijo pasa frente a una pantalla tiene que tratar de mantenerse dentro del promedio, y el resto de las horas de ocio ocuparlo en potenciar estos

talentos que yo empiezo a percibir en él.
También es importante a esta edad no perder nunca el contacto con los abuelos y con los primos; reforzar también la buena relación con los hermanos, ya sea con los mayores, que funcionan como una especie de padres sustitutos, y que son bastantes exigentes porque los echan de las piezas y los tratan mal, o con los más pequeños, que los molestan, les rompen papeles y les pintan los cuadernos. Entonces, es un período intermedio muy complicado en la relación entre hermanos; aquí es fundamental la labor parental para poder establecer pautas de negociación entre hermanos, que de alguna manera eviten los términos agresivos entre ellos.

Hoy día es súper frecuente escuchar en esas edades frases como: "mátate", "desaparece", "te odio", "sal de mi pieza", "yo no quería que tú nacieras", etc. Que es muy distinto al contexto rabioso que nosotros teníamos con nuestros hermanos cuando les decíamos: "A ti te recogió el viejo del saco", aunque podía ser igual de traumatizante, pero al final uno tenía la lucidez de saber que eso no era verdad. Pero es distinto a decir "yo te odio", frase que mi generación nunca usó.

Y ahí es donde los papás tienen que ser absolutamente intransigentes y desterrar esas palabras, en castigarlas y poder establecer vínculos de comunión entre los hermanos. Lo que propongo: sentarse a la mesa todos juntos es clave. Ver en un solo televisor los programas preferidos, ya que de esa forma están todos los hermanos reunidos; es decir, donde yo como hermano mayor vea lo que mi hermano chico ve y, por lo tanto, sea capaz de darme cuenta si eso que ve le hace bien o no para poderle contarle a mi mamá. Que mi hermano chico sea capaz de desarrollar la generosidad e incluso tener que retirarse de la TV porque es un programa que a su edad no puede ver y su hermano sí.

Lo otro importante es establecer entretenimientos en los cuales todos puedan participar: naipe, bachillerato, ludo... juegos antiguos, pero que de alguna manera hacían sentir que había una cohesión grupal entre los hermanos. Generar la posibilidad, por ejemplo, de que los hermanos preparen un plato de comida. Recuerdo que cuando mis hijos tenían esta edad, yo me quedaba voluntariamente en cama algunos días sábado. Por lo tanto, los niños tenían que preparar el almuerzo. Probablemente, comí tallarines recocidos muchas veces, pero había todo un tema en lograr que prepararan cosas juntos, donde por supuesto había peleas y mi hijo decía: "Ella no me deja que yo la ayude", entonces mi hija respondía: "Es que no hace las cosas como yo le digo". Eso generaba a la larga una comunicación, un conocimiento entre ellos.

Este período es importante para reforzar la relación entre hermanos. Si no se hace allí, va a ser muy difícil que se viva en la adolescencia una relación profunda y sólida entre hermanos; no importa que se produzcan peleas, porque siempre van a haber, pero sobre una base afectiva que la madre o el padre ha estimulado.

Y en ese sentido, no puedo dejar de recalcar en esta edad la necesidad de que los niños se aburran, de que ellos descubran por sí solos juegos, que inventen cosas; que no sean los papás los que tengan que sacarlos a pasear, los que les contraten a Barney para el cumpleaños o a alguien para que les pinte las caritas, o llevarlos al McDonald's para que las tías les canten, porque eso empieza a generar en los niños la sensación de que ellos no pueden entretenerse por sí solos. Esta es la edad en que la televisión, los videojuegos e Internet también los entretienen, y ellos pierden la capacidad de divertirse. Entonces el tratar de que se aburran, de que no tenga contacto con la televisión, de que inventen juegos, sobre todo de roles, como la oficinista, la vendedora, el secretario, lo que sea, les resultan importantes en el desarrollo de sus habilidades sociales.

Aquí también empieza otro proceso en el que no puede haber libertades si no hay responsabilidades cumplidas. Los niños tienen derechos –qué duda cabe–, pero además tienen deberes con la obligación de cumplir para ir puliendo su temple y configurar un carácter sólido.

Por último, en esta edad me gustaría mencionar que su vida social sólo debe transcurrir en casas y en horarios de día. No corresponde que salgan de noche y menos que comiencen a experimentar cosas que no necesitan, como, dependiendo del caso, de un celular u otros "implementos", porque si nos adelantamos mucho, se nos transforma en una escalada que nos será difícil contener.

La misión de esta edad es aceptar el proceso de cambio, aprender a relacionarse con amigos y familiares en forma fluida y permanente y no disminuir el rendimiento académico.

DE 11 A 13 AÑOS
del cambio al terremoto

Entre los once y los trece años, es una edad aparentemente reposada y digo aparentemente, porque es una edad en la cual los cambios físicos si bien se siguen produciendo, son de mucha menor intensidad, y si tienen la misma fuerza, ya son conocidos por los adolescentes; por lo tanto, los aprenden a manejar. Aprenden a controlar el tema de la menstruación y a manejar los cambios de voz. Generalmente, algunos niños a esta edad ya tienen una voz bastante más firme, que no es la definitiva, pero sí es mucho más estable.

Las niñitas ya empezaron a aceptar con dificultad otros cambios corporales: el desarrollo del busto, por ejemplo. Pueden incluso jugar un poco con pequeñas conductas que hoy día se incentivan a mi juicio en forma exagerada, como empezar a buscar comportamientos medio eróticos en relación con eso. Aparecen las primeras fotos en Facebook, mostrando ya figuras de niñitas bastante más grandes.

Hay un cambio morfológico que no es menor en las generaciones nuevas de niños. Éstos se ven más grandes que la edad que tienen, ya sea por tamaño, por estructura, incluso también por características sexuales secundarias. Las niñas tienen busto mucho antes y en cantidades mayores que las generaciones antiguas. Esto, en contraste con su estructura mental de niñas todavía, y eso es lo peligroso, con su alma de niña pequeña, temerosa, insegura, no conocedora del mundo ni de los riesgos de la vida, pero esto les permite en un cuerpo de grande o de casi grande jugar con la ambivalencia. Entonces, a ratos, son niños muy chiquitos, muy regalones, muy pegados a su casa, y otras veces quieren ser grandes, independientes y exhibir su crecimiento. Y esa ambigüedad es la que caracteriza a esta etapa entre los once y trece años, tanto a hombres como a mujeres. En este período también empieza a aparecer con mucha mayor fuerza la búsqueda de una identidad personal, la respuesta del quién soy yo, después de toda esta cantidad de movimientos que han podido experimentar desde los nueve años. Es una pregunta que ellos se hacen y que muy pocos papás son capaces de acoger. En general, los padres viven esta etapa como una carga, porque tienen que empezar a trasladar a los niños a cumpleaños, con todo el problema de los horarios que esto implica: ¿hasta qué hora puede ir mi hijo a un cumpleaños? También se hacen la siguiente pregunta: ¿puede ir a una fiesta una niñita de trece años? Claramente la respuesta es no, no puede. Lo que sí tiene que hacer, y es la misión de esta edad, es establecer vínculos afectivos sanos con amigos y con amigas. No podría tener pareja a esa edad, no debiera. No debiera ir a fiestas nocturnas; sí debiera juntarse en casa de amigas, vigiladas por padres presentes. Debiera participar todavía de actividades, de cumpleaños, de películas que tengan que ver con temas de niños, no con temas ya de adolescentes, para no hacerlos crecer demasiado rápido. Esto se contrapone con la pertenencia o el querer pertenecer a determinados grupos. Ahora, yo no me puedo dejar de preguntar por qué es tan fuerte hoy día este tema, porque si bien todos cuando fuimos adolescentes quisimos pertenecer a un cierto grupo, era mucho menor la efervescencia, la caracterización, y se notaban menos nuestros gustos a determinadas cosas. De hecho, recuerdo que con mis amigas nos vestíamos más o menos parecidas, pero no seguíamos a ningún modelo. Nos podía gustar algún cantante (por ejemplo, yo era fanática del cantautor Fernando Ubiergo, me sabía todas las letras de sus canciones y las cantaba), pero eso no involucraba necesariamente mi mundo privado.

Hoy día, esos gustos sí se meten en el mundo privado: en mi vestuario, en la forma en que me comporto, hasta en cómo hablo y qué valores tiene asociado mi grupo. Entonces empieza uno a preguntarse por qué es tan fuerte esta formación de sectores grupales dentro de los cursos donde cada uno es distinto al otro grupo. Creo que tiene que ver –y así me lo han hecho sentir los mismos adolescentes– con la falta de arraigo que tienen en sus casas. En la medida en que en las casas no hay una identidad propia, no se invitan a amigos de distintas ondas y grupos a tomar té o a ver televisión o a juntarse a hacer una tarea, los padres empiezan a perder el control sobre sus hijos y ellos van a hacer sus trabajos a otras casas, y comienzan a formar parte de grupos que los papás desconocen; ya no son los compañeros del colegio, sino que personas con las que probablemente chatearon o se encontraron en una plaza. Ahí es donde como mamá tengo que preguntarme qué pasa con mi casa, por qué hay algo ahí que hace que ellos busquen esta identidad fuera y no dentro del hogar.

Los papás tenemos que hacer todo lo necesario por retener a nuestros hijos en el hogar, es decir, que los amigos vengan a nuestras casas para que así nuestros hijos no salgan a otras permanentemente; pueden hacerlo de manera ocasional, pero yo debo saber dónde van, los tengo que ir a dejar y a buscar, conocer a la mamá de la niña compañera de curso de mi hija o de mi hijo para poder hablar con ella y saber cuáles son los códigos que esa familia tiene.

Es en este período en que los papás empiezan a experimentar los primeros indicios de pérdida de manejo y de control de ciertas variables. Por ejemplo: no saber quién chatea con su hijo. A esta edad, sobre todo las mujeres, tienden a chatear muchísimo y no siempre con personas conocidas. Entonces, pasa a ser importante que el computador no esté en la pieza de los niños, sino donde yo pueda trasladarme y mirar con quiénes están chateando. No preguntarle ni entrometerme, pero si el computador está a la vista, por lo menos tendrá elementos de control.

Y eso nos obliga como mamá o como papá a mostrarles y a obligarlos a cierta diversidad grupal, donde puedan contactarse no sólo con el grupo de referencia que tienen –que incluso puede ser muy adecuado–, sino también con otros que piensen distinto para que aprendan a seleccionar y a mirar diferentes formas de pensar o de vivir. Para eso es importante que les muestre otras formas de experimentar vivencias, que les señale la vida en forma real. Si soy de una situación económica acomodada, tengo que mostrarles medios más desprovistos. Si soy de recursos más escasos, tengo que exponerles situaciones acomodadas y explicarles que eso se obtiene con esfuerzo, con estudios, con trabajo y que, por lo tanto, ellos pueden aspirar a eso si colocan todo su empeño. Por lo tanto, el mostrar la alternancia social es un deber que a esta edad es clave para que el niño entienda que dependiendo de su esfuerzo puede o no lograr los sueños que el día de mañana va a tener que configurar.

También es a esta edad donde todo parece calmarse; la lata, como fenómeno de respuesta y de acción, es el fenómeno de la edad. O sea, el aburrimiento, el poco movimiento, la desmotivación, el que las cosas entusiasmen por un rato y dejen de entusiasmar al segundo siguiente, el que yo compre algo y después no me parezca nada de entretenido, es parte de los procesos de este ciclo de edad. Y ahí también es importante que este adolescente tenga la posibilidad de contactarse con realidades distintas a las de él. Entre los once y los trece años es crucial que el adolescente mire otras realidades familiares, económicas y valóricas. Y también valore si es que la de él es buena, y si no es buena, pueda criticarla y pida los cambios necesarios.

Por ejemplo, una niña de 15 años en una jornada que hice de mamás e hijas le decía a su madre que otra compañera de curso tenía hasta un living en su pieza. Me quedé callada y le pedí a la mamá que le respondiera, pues quería saber qué le decía. La mamá era bastante centrada, y le señaló: "¿A ti te parece bien que hasta tenga un living en su pieza?". "Me parece bacán, mamá", le respondió la niña. Entonces la mamá le preguntó: "¿Y esa niñita cuándo sale a conversar con sus papás?, ¿cuándo se junta con su mamá y hablan como tú y yo lo hacemos en el living, mientras cocinamos o cuando nos sentamos a ver la tele que tenemos en la sala de estar?, ¿cuándo se produce eso?". "Ah, no, nunca; en realidad se lleva pésimo con la mamá, nunca conversa con ella".

La mamá le insistió: "¿Y no será que es porque hasta tiene living en su pieza, entonces no tiene necesidad de salir?". Y la niña se dio cuenta y le dijo: "A lo mejor tienes razón, tal vez no es tan bacán tener un living en la pieza"...

Pero para lo anterior se tiene que producir la posibilidad de que esa conversación se genere y que de una u otra manera estos adolescentes puedan visualizar otras realidades. Es la mamá la que financia la compra de ropa, por ejemplo; eso es lo más asombroso. Como mamá financio que la niña se vista de negro si es gótica. Por lo tanto, yo soy responsable entonces cuando la veo pintada con la cara blanca y la boca negra, vestida de negro, y la encuentro espantosa y la critico; es decir, tengo que tener la capacidad de reconocer que yo auspicié aquello. Y eso tiene que ver con un tema de control parental.

Yo como mamá tengo que tratar que ellos, si pertenecen a un grupo, tengan la suficiente información sobre los valores que ese grupo lleva encubierto. Entonces si a mi hija le gusta Hannah Montana, yo tengo que conocer a Hannah Montana como mamá. Y tengo que saber qué valores tiene; por lo tanto, tengo que ver y meterme en la serie. Y preguntarle a mi hija: "¿A ti te parece bien que esta niñita sienta que a lo mejor lo más importante es ir a comprarse ropa y no hacer otras cosas? ¿Qué cosas buenas hace Hannah Montana que de verdad a ti te provoquen admiración y tú digas que quieres ser como ella? A lo mejor va a decirme que se ve bonita, que se preocupa por ella misma, perfecto, ni un problema, eso hay que copiarlo. Pero hay otras cosas que Hannah Montana tiene que probablemente son superficiales, son frías y que a mí no me gustaría como mamá que las tuviera mi hija. "¿Por qué no miras bien si a lo mejor hay otras cosas que podrías copiarle a Hannah Montana y otras no?".

Pero para eso yo tengo que estar adentro en el proceso. Los papás, cuando empiezan a ver estos fenómenos en los niños, se alejan y comienzan a mirar desde afuera esta película que no les gusta ver, pero no hacen nada, no conocen la realidad, no pueden influir. Insisto en que a partir de esta edad y por lo menos hasta los 18 años, se inicia un proceso que es clave, y que consiste en que es mejor hacerles a los niños buenas preguntas que darles buenas respuestas. Para eso tengo que tener la capacidad de preguntar: "A ver, ¿por qué tú quieres vestirte de negro, qué te hace sentir el negro, estás deprimida, estás triste, por qué el negro hace sintonía con tu alma?". Y eso el adolescente tiene que ser capaz de responderlo, porque si va a representar un rol en la sociedad, tiene que estar convencido del rol que representa. Todo tiene que ver con el convencimiento de lo que yo estoy viviendo.

Entonces yo puedo permitirle a un hijo, que tiene buen rendimiento, que es cariñoso conmigo, que se vista de negro durante cierto período, por ejemplo, siempre y cuando eso esté asociado a una posición sólida que ese niño mantenga durante ese rato, porque eso me da la tranquilidad como mamá de pensar que eso va a pasar.

¿Cuándo no pasa el tema? Cuando está solamente apoyado en el grupo. Y yo soy del grupo porque ahí conozco a Luis, a Pedro y a Diego, y si yo dejo de ser como ellos, pierdo a mis amigos. Entonces, mi amistad está determinada solamente por esa configuración. Lo que el niño tiene que entender es que si Luis, Pedro y Diego son sus amigos, van a seguir siéndolo aun cuando él no sea de un grupo especial. De otra forma quiere decir que nunca fueron verdaderos amigos; por lo tanto, allí tiene que haber alguien adulto que regule. No puede regularlo el niño solo si no tiene las habilidades a los trece años para poder hacerlo.

El tema de las tribus urbanas es un llamado de atención a los padres y a la concepción de cuán atractivas están siendo nuestras vidas en nuestros hogares. Qué hace que nuestros niños quieran salir de ahí, a formar grupos afuera y no quieran traer a sus casas las amistades o los vínculos afectivos que van formando. Es una alerta. Hoy no nos podemos sentar en los livings de nuestras casas porque tiene que estar todo impecable siempre. Todo está tan aséptico y desinfectado que molesta estar adentro. No hay redes de comunicación entre la familia porque cada uno está en su sección: el papá con su *notebook* o haciendo algo en el taller, la mamá está en la cocina, el hermano mayor está en un computador, el hermano del medio se encuentra en el otro si es que hay dos computadores, y si sólo hay uno, están peleando para podérselo turnar. Y no hay espacio para conversar. La comida es algo rapidito; el concepto de sobremesa no existe. Entonces sacamos a los niños y a esta edad los empezamos a echar de las casas. Cuando ya se los echa a los trece años, difícilmente van a volver a los quince o a los dieciocho.

Hay una anécdota: en un taller también de papás-hijos en un colegio, se me acercó un niño, debió tener 13 años, y me dijo: "Sabes que yo cuando chico era súper comunicativo, yo llegaba del colegio y hablaba y hablaba, y le contaba a mi mamá todo lo que me sucedía: en matemáticas esto, que el recreo esto otro, que mi amigo me convidó un queque, que en el kiosco empezaron a vender unos alfajores que son buenos; todo lo contaba. Y ahora estoy súper extrañado, porque ya no hablo nada en la casa". Entonces le señalé: "Bueno, pero puede ser que el proceso de adolescencia te esté como metiendo para adentro". "No —me dijo—, yo creo que hay otra cosa". Entonces le indiqué: "A ver, pensemos, ¿qué hacían tus papás cuando antes tú llegabas hablando?,

¿cómo reaccionaban ellos?". Ahí el niño se empezó a reír y me respondió: "Ellos siempre me hacían callar, habla cortito, sintetiza, me decían; si hay que pagarte para que te quedes callado". Por mi parte empecé a reír sola y él encontró la respuesta: "Ahí está la explicación, o sea, ellos me obligaron a quedarme callado". Entonces le dije: "Ahora tú harás el trabajo inverso. Si tú eras sociable, tienes que recuperar el tema". Media hora después se acercaron los papás y me dijeron: "Queremos preguntarte algo. Estamos preocupados porque nuestro hijo, que tiene 13 años, cuando chico era súper expresivo y no sé por qué se ha vuelto ahora tan callado. ¿Tendrá que ver con la adolescencia?". "Bueno —les señalé–, un poco, pero él ya tiene la respuesta, así es que yo prefiero que se las dé él". Llamé al hijo y le indiqué: "Joaquín, tus papás me acaban de preguntar por qué cuando chico tú eras tan hablador y ahora no hablas casi nada. Cuéntales lo que conversamos". Y el niño les contó y los papás comenzaron a reírse, pero con algo de culpa, y afirmaron: "Le inhibimos la personalidad y sin darnos cuenta".

O sea, con esta cosa rápida de la vida, de háblame cortito, que hay que pararse, que hay que irse, objetivamente inhibimos la personalidad de nuestros hijos. Eso mismo nos pasa a muchos padres que no nos damos cuenta de cómo nuestros comportamientos generan consecuencias permanentes en las personalidades de nuestros hijos, de las cuales después nosotros nos vamos a quejar.

Por ejemplo: si yo a esta edad le permito a mi hijo que se suba con un iPod al auto, un MP3, una radiocasete o un cdplayer, lo que sea, y se va escuchando música mientras voy manejando, he perdido en el trayecto una cantidad de posibilidades enormes de poder conversar con mi hijo. Entonces cuando él sea grande y yo quiera conversar en el auto, él, con los fonos o sin ellos, no va a hablar conmigo porque el hábito se lo generé yo.

Es como los antiguos viajes que se tenía con los papás, donde uno se aprendía los nombres de los puentes, contaba cuántos escarabajos se encontraban en el camino, el camión con más ruedas o las patentes terminadas en 3, y eso generaba que uno estuviera conversando todo el tiempo. Esos ritos que nosotros mismos como adultos hemos dejado de practicar tienen consecuencias directas en la comunicación de hoy con nuestros hijos. Y cuando nos espantamos y decimos "pero por qué nuestros hijos no conversan con nosotros en la mesa", es porque no hay tiempo para conversar, porque se sirve y se come rápido, porque hay que pararse rápido para seguir haciendo cosas.

La sobremesa se eliminó, porque para nosotros era molesto estar sentados tanto rato escuchando a los abuelos; entonces liberamos de esa responsabilidad a los niños y al hacer este acto, que aparentemente es un acto de solidaridad, terminamos por romper con la comunicación familiar, donde escuchaba a mi abuelo los fines de semana y tenía contacto con él. Hoy día tampoco hay contacto con los viejos.

Entonces, esta generación empieza a desapegarse de la familia a esa corta edad, y un montón de ritos dejan de funcionar. Y dejan de funcionar a propia voluntad de los padres, porque objetivamente perdemos, a mi juicio, la noción de que en esos ritos estamos enseñándoles a nuestros

hijos habilidades sociales y valóricas que los van
a acompañar toda la vida. Es como que no le dié-
ramos importancia; es como dejar de decirle al
niño en la mesa: "Saca el codo y límpiate la boca
antes de tomar el vaso. O la servilleta, póntela en
la falda. Ayuda a tu mamá a levantar los platos".
A esta edad es clave tener toda esa formación
de hábitos, porque todavía hay cierta docilidad
de espíritu. Si realizo esta formación con los adolescentes de esta edad, quiere decir que de aquí
para adelante va a ser mucho más fácil que ellos
entiendan que tienen que dejar su cama hecha
cuando se levanten los fines de semana, que nadie se las va a hacer; que hay una cierta hora para
levantarse en las vacaciones; que si se tomaron
un vaso de bebida, tienen que tener la capacidad
de dejar el vaso en la cocina y no que la mamá
ande recolectando todos los vasos al final del día.

Si eso no se educa en ese momento, estamos
perdidos. O sea, después se podrá hacer, pero va
a costar enderezar ese árbol si entre los once y
los trece años no se pudo lograr. Lo ideal es haber partido entre los nueve y los once y mucho
antes. Hoy día un niño a los cinco años puede

hacer una cama; por lo tanto, de ahí para adelante podrías partir educando. Si no se procede de esta forma, se sentirá que el hijo hace lo quiere, que te dejó de obedecer, que algo raro le pasó. Además, nosotros nunca nos vemos como los responsables de esa generación (eso a mí me asombra de los padres, sobre todo en Chile). El problema lo tiene el niño. "No sé qué le pasó a este niñito, era tan distinto antes", esas frases se escuchan constantemente. "Es que era tan diferente, ayudaba en todo, siempre estaba contento y ahora es un desastre". Entonces, qué cosas dejaste de hacer tú que antes hacías, como darle el beso de las buenas noches, regalonearlo con un chocolate de vez en cuando, decirle que lo quieres o ponerte a conversar con él. Si antes jugabas con tu hijo, ahora no haces nada. Objetivamente nada. Y eso a los trece años los niños son capaces de diferenciarlo y entenderlo.

Otra cosa que ocurre a esta edad es comenzar a mirar al sexo opuesto como algo medianamente atractivo. Esto ha sido exigido por el mismo proceso social. Los papás tienen que ser capaces de regular límites y no permitirles a los niños asistir a fiestas, sobre todo nocturnas. Haciendo este tipo de cosas, por ejemplo, uno como papá va a poder mantener frenado el tema sexual; de lo contrario, se pierde el control y claramente va a empezar a haber una especie de efervescencia, no sexual, pero sí de conquista o de una autoestima asociada a que el otro me considere atractiva o no. Y eso puede ser peligroso si se empieza a instalar justamente a esta edad, porque quiere decir que a los quince años ya hay besos, fiestas y otras cosas. Los papás debieran mantener el tema con límites: a la hija actuando como niñita y al hijo como niñito y no como un pre-adolescente casi con "experiencia".

Entre los trece y los catorce años, lamentablemente en Chile no podemos dejar de desconocer que hay un porcentaje no menor que se inicia sexualmente. De acuerdo con mis estudios, el 60% de las niñitas entre los trece y los catorce años que se inician sexualmente lo hacen para dar la antigua y clásica "prueba de amor". Debajo de esto hay un temor de perder a la persona que me gusta, o incluso, más fuerte todavía, miedo a que "se podía enojar si yo le decía que no, y podía no darse cuenta de que de verdad a mí me interesa y como yo quiero demostrarle que me interesa, entonces accedo". Ese temor al enojo me impresiona mucho porque tiene que ver con un miedo a la violencia desde muy chicos, sobre todo en los niveles socioeconómicos más bajos. Y que, por supuesto, viene dado por la escuela de la madre, y si no la vivió la madre, la vivió la tía o la vecina. Entonces, lo que hacen las mujeres de esta clase socioeconómica es evitar que los hombres se enojen. Y la manera de evitarlo es accediendo a lo que ellos de alguna manera les solicitan.

Los hombres en general se inician por curiosidad, por tratar de pasar a otra etapa y poder contar que ya son hombres. En el caso de la gran mayoría de mujeres que encuesté en ese momento, y que he ido encuestando posteriormente, si se les pregunta a ellas si en el fondo están contentas con lo que hicieron, te diría que si pudieran elegir ahora, más grandes, dirían que no, que no lo harían. Pero la presión que ellas sienten en ese minuto es muy grande y, por lo tanto, no disfrutan el acto, que es la consecuencia más grave tal vez del proceso, porque implica empezar a experimentar una sexualidad no asociada al afecto ni al placer, sino que a una obligación de cumplirle al hombre que uno quiere. Es como el ticket de esas mujeres adultas que dicen: "Bueno, tengo que hacerlo porque si no anda con un genio insoportable". Esa mujer probablemente se inició sexualmente también por complacer y no por una decisión personal, asociada a un compromiso, a una afectividad permanente, a algo más sólido que me hiciera sentir que después de tener relaciones con la persona vamos a poder consolidar un proyecto en conjunto.

En el caso de los hombres, el tema sexual tiene que ver con reforzar la masculinidad, sobre todo en este período. Ahí también yo creo que hay un ámbito familiar que está débil, y que no pasa necesariamente por sentarse a hablar con los hijos de sexo a esta edad, sino que por vivir la vida fomentando y hablando de temas que estén relacionados con eso. Y en este aspecto siento que la televisión entrega mucha información que permite puntos de discusión. Por ejemplo, una teleserie donde un personaje está siendo infiel. Al respecto se le puedes preguntar a un hijo de trece años: "¿Y a ti qué te parece que él haga eso?". Entonces, él te puede responder: "Si tiene que elegir a quién quiere, déjalo". "Sí, pero tiene un compromiso con otra persona", le recuerdas tú. "Bueno, pero no importa, después lo arreglará", dice tu hijo.

Entonces vuelvo al tema de hacer buenas preguntas y no decir, por ejemplo, "mira qué espanto lo que acaba de aparecer ahí", porque de esa forma no voy a tener idea de lo que piensa mi hijo. Por lo tanto, si apareció el tema de la violación en las noticias y estamos viendo TV con mi hijo, yo le puedo preguntar: "¿Hay alguien que tú conozcas que haya sido presionado para tener relaciones sexuales?". Y de esa forma conseguir que la conversación sea fluida.

Yo sé que muchos papás cuando lean esto van a decir: "Ah, pero mi hijo no me va a contestar nada; me va a decir que no quiere hablar de ese tema". Claro, pero eso pasa en las familias donde no hay comunicación, y cuando uno trata de colocar esos temas, por supuesto que los adolescentes arrancarán. Pero en las familias en las cuales siempre se ha hablado de esos temas, incluso mucho antes de los nueve años, eso no pasa. Si yo como mamá siempre estoy comentando situaciones que veo, como que tal modelo en la televisión se ve poco pudorosa o muestra una imagen de mujer que no me gusta, y si aquello lo ha escuchado mi hijo de cinco años, entonces me puede dar también una opinión: "Bueno, pero se ve bonita, parece que anduviera con bikini". "Sí, pero no está con bikini, no se está moviendo como en la playa", le aclaro yo. Y puedo hablar con mi hijo al respecto, pero eso tiene que venir de abajo para que el adolescente de verdad tenga la capacidad de conversar.

O si vienen amigos míos a comer y se habla de ciertos temas, el niño tiene que estar en la mesa comiendo y participar de las conversaciones, sobre todo a esta edad, entre los once y los trece; tiene que opinar de temas de pareja, de noticias, de política, etcétera. Por ejemplo, me impresioné con mis hijos, que asisten a un colegio particular, cuando les pregunté por el nombre de un ministro en la celebración de las fiestas patrias del año pasado. No tenían idea, no sabían cómo se llamaba y no les interesaba. Allí ahí hay un tema de educación escolar, pero también tiene que ver con nosotros como papás, de cuánto nos hemos involucrado en enseñar estas cosas a los niños. Nuestros hijos no saben y, lo peor de todo, es que parece no interesarles o no tienen ganas de saber quién es la ministra de Salud en este momento, por ejemplo. Pero también creo que hay un gran número de adultos que no tienen idea del nombre de aquel personaje.

Esta es la edad clave donde nuestros hijos están como una esponja, donde todavía puedes producir modificaciones para que empiecen a conocer el mundo, para que exploren la diversidad, para que tengan información, para que aprendan a conversar y a discrepar, para que puedan comenzar a formar una adolescencia que esté basada en procesos de búsqueda interior, pero que no se fundamente en el no saber, en desconocer cómo está funcionando el planeta en el que vivo. Yo creo que es una edad crucial para generar ese tipo de reflexiones, porque ya más tarde les interesa menos.

DE 13 A 15 AÑOS
terremoto

En este avance por la edad, ya llegamos a los quince años, la que arquetípicamente o en el inconsciente colectivo, igual que los dieciocho, es una edad importante. Parece que algo cambia en la estructura mental de nuestros hijos y nosotros los hacemos sentir, como sociedad o como un grupo de personas que los protegen o los contienen, que ya son un poco más grandes. Entonces ahí entra a jugar mucho el concepto de autonomía.

Si señalaba que entre los nueve y los once años, incluso también entre los once y los trece, la palabra clave era "cambio", diría que entre los trece y los quince, incluso hasta los diecisiete, la palabra crucial es "terremoto". Y tiene que ver, por una parte, con la movilización interna, muy fuerte, de muchas cosas que ellos tienen que ser capaces de hacer, porque la sociedad se los exige, y, por otra, de movimientos internos, de búsqueda de conceptos, de identidad, que toca o ataca distintas áreas en su proceso de crecimiento.

Yo diría que el más fuerte de todos estos cambios, del cual los padres parecen estar más preocupados por el riesgo que implica, es el sexo. Y aquí los padres deben tener la capacidad de explicarles a sus hijos la diferencia entre sexo y sexualidad. Decirles que el sexo tiene que ver con la práctica sexual, y la sexualidad con la connotación de esta práctica asociada a los valores, al compromiso, a la espera, a la contención y a la formación que ese niño o que ese adolescente ya ha recibido.

Por lo tanto, entran a jugar ahí un montón de conceptos importantes asociados al tema de la sexualidad. Y me voy a referir a la sexualidad, porque evidentemente no es una edad para te-

ner sexo aún, pero sí para poder entender ciertos temas asociados a la sexualidad, que creo
que hay que tenerlos claros.

El primero es el tema del pudor o el recato.
Me parece que es un concepto que parece estar en extinción, sobre todo en el caso de las
mujeres, pero también hay que educarlo en los
hombres. Hoy, ellas funcionan –como siempre
digo– con "cara de Virgen María" y con cuerpo
de María Magdalena. Y en esa disociación, ellas
no logran integrarse interiormente en el tipo de
mujeres que quieren ser y, por lo tanto, cómo se
tienen que comportar.

Por un lado, hay una corriente social y cultural
que les dice que da lo mismo a qué edad empiezan a practicar su sexualidad y cómo lo hagan;
por lo tanto, aparecen ciertas etapas que ellas y
que ellos van viviendo donde primero pasa por
besarse con cualquiera, incluso sin saber el nombre de esa persona. De hecho, hoy existe todo
un juego con pulseritas que ellas hacen con hilo
de bordar; esas pulseritas se las entregan al varón al cual besaron, que, por supuesto, no tienen
idea quién es. El juego consiste en que todas las

pulseras que yo traje como mujer las debo entregar esa noche, así el hombre se va con todas las pulseras puestas y la mujer se queda sin ninguna. Ese juego, evidentemente, arrasa con el concepto del pudor, con valorar el beso como algo importante. Me llama la atención el poco valor de un beso, transformado simplemente en una práctica de juego, de búsqueda de sensaciones o de adrenalina.

Lo anterior implica un segundo concepto, que es el tema del autocuidado, que está en riesgo en esta edad y a lo largo de toda la adolescencia.

Claramente, los varones tienen pocas variables para cuidarse, pues para ellos el cuidarse es un signo de estupidez. Hoy día, el miedo, por ejemplo, que era un elemento protector en mi generación, es algo que hay que atravesar; entonces, yo tengo que cometer actos arriesgados para probar que soy valiente. Y eso es válido tanto para la conducta sexual como para la conducta del consumo de alcohol, para las drogas, para la conducta delictual, para los ritos de iniciación de las tribus urbanas, etc. El tema es vencer el miedo y no tomar lo positivo del miedo como un elemento protector que me cuida de riesgos o de factores que yo no sé manejar.

El subir una foto a Internet de una pareja que está teniendo contacto, donde se tocan y se rozan en zonas genitales, que es lo previo al acto sexual, ellos lo validan porque lo sienten como un acto de autocuidado frente a una posible pérdida de virginidad. Lo digo con algo de risa porque hay poca concepción de cuánto están involucrando el alma en todo ese proceso. El tema es vencer ese temor y, por lo tanto, acceder a todos los riesgos que involucra subir esa página y que todo el mundo se entere. Entonces, el autocuidado asociado a lo sexual es clave.

Otra cosa llamativa en esta generación es la impaciencia, es la sensación de rapidez con la cual quieren experimentar sensaciones, porque eso pareciera hacerlos sentir vivos, más que grandes. Tiene que ver con la conexión, con la adrenalina, con el que desaparezcan las angustias, las responsabilidades. Y el vivir al máximo pasa por la imprudencia, por la pérdida de control, por no saber lo que estoy experimentando. Un gran porcentaje de adolescentes tiene hoy su primera relación sexual bajo la influencia del alcohol; por lo tanto, sin conciencia de lo que están haciendo. Y esta impaciencia es con todo en la vida, no sólo con el tema sexual. Es como querer vivir las cosas muy al filo de ciertos riesgos o peligros. Por lo tanto, esta impaciencia, esta dificultad de autocuidado, este escaso pudor, lleva a que los adolescentes experimenten la sexualidad, en la gran mayoría de los casos, no asociada al afecto, sino sólo a la práctica, y eso los disocia. Empiezan a sentir interiormente grandes cuotas de angustia, sobre todo las mujeres, porque ellas están por naturaleza más intrínsecamente hechas para asociar o mezclar lo emocional; por lo tanto, cuando se les obliga a disociarlo porque están bebidas o porque así hay que hacerlo, les genera una sensación de angustia que hace que se frustren en las expectativas.

Hoy todo lo que de alguna manera los adolescentes saben del sexo o de la sexualidad, el exceso de información, termina por no servirles de nada. Por ejemplo, toda los conocimientos que ellos manejan, en relación a cómo cuidarse en términos de mecanismos de anticoncepción, no los usan porque asumen que nunca van a vivir una situación tan extrema, y si la vivieran, tampoco van a correr ningún riesgo porque no les va a pasar nada.

Esto de que tanto a ellas como a ellos no les va a pasar nada es una característica central de la adolescencia; se llama *principio de invulnerabilidad*. Es un principio que tiene características neurológicas, cerebrales, donde hay ciertas partes del cerebro que se bloquean en la evaluación de los riesgos, pero después tiende a desaparecer a medida que el adolescente crece. Sin embargo, con la asociación que hoy día existe con el alcohol, este *principio de invulnerabilidad* crece y es más largo en tiempo de lo que debiera durar. Por lo tanto, de verdad no se evalúan riesgos, las cosas les pueden pasar a otros, pero no a ellos. Entonces hay un exceso de información, pero muy poca formación en relación al tema.

También hay una cantidad de mitos y de fantasías asociadas al tema sexual que es necesario comentar. Por ejemplo, si yo tengo relaciones sexuales, voy a tener una mejor relación de pareja. Eso es absolutamente falso. Generalmente, cuando una pareja se inicia sexualmente a temprana edad, lo que empieza a pasar es que el tiempo que gastaban antes en tomar un helado o en ir al cine hoy sólo lo ocupan en tener sexo. Y la que primera acusa daño de esa convivencia es la mujer, que empieza a sentir que el tipo sólo la quiere ver para poder acostarse con ella. Eso genera distanciamiento por parte de ella, la sensación de reclamo por parte de él y termina por deteriorar la relación.

Fundamentalmente, porque en la adolescencia son tantas las variables que hay que manejar en la cabeza y en la vida cotidiana, son tantos los miedos con los cuales ellos tienen que enfrentarse (subirse a una micro por primera vez, poder andar de noche, experimentar situaciones sociales donde ven a otros consumir drogas, etc.), que incorporar además el tema sexual, que es un elemento que tiene una energía propia y muy potente, los agota mucho porque los hace jugar un juego para el cual no están preparados.

Y ahí también se ha ido produciendo una alteración del concepto de virginidad, producto del aumento del sexo oral. Eso tiene que ver con conductas facilistas de la mujer. Siempre digo que la mujer chilena "es más fácil que la tabla del 1". Por lo tanto, esto hace que ellas vivan experiencias de sexualidad sin involucrar a la vagina y así se siguen llamando vírgenes, pero en ellas no está presente el concepto de pureza asociado a la virginidad, el concepto de entrega. La virginidad no se pierde. Yo pierdo un llavero, pierdo un cuaderno, puedo perder ropa, pero no voy a perder algo mío; ¡yo lo regalo! Y si lo regalo, lo lógico sería que yo tuviera plena conciencia sobre a quién se lo estoy regalando y que esa persona tuviera plena conciencia sobre quién soy yo para hacerle un regalo adecuado, de la forma en que yo espero entregarlo.

Por lo tanto, siento que los adultos hemos fallado notoriamente en entregar un concepto de virginidad asociado sólo a la vagina y que si esa vagina no es penetrada, entonces esa niñita sigue siendo virgen; que a pesar de haber tenido todo tipo de caricias, de haber realizado todo el sexo oral posible, de haber tenido relaciones con muchos hombres en su vida, el concepto de virginidad sigue intacto. Creo que hay un tema ahí que se debe reflexionar socialmente, sobre todo los que creemos en el concepto de la espera, la espera en la madurez, la espera en el compromiso para poder entregar esta parte mía, porque evidentemente esa persona, me guste o no, va a formar parte de mi memoria emocional, si es que estoy sobria, por harto tiempo y quizás por toda la vida. Entonces creo que le hemos ido perdiendo el valor, a pesar de que pienso que hay un grupo grande de jóvenes, de mujeres y hombres, que lo siguen valorando como algo importante, pero que no se atreven a decirlo, porque son castigados socialmente, al tratarse de un tema antiguo, un tema que aparentemente no tiene sentido. Y en eso los padres tenemos la responsabilidad de hacerles soñar con ese concepto, tanto a hombres como a mujeres. De hacerles valorar esto como una entrega real, como una espera bonita y no como un tema que ya pasó de moda, y no porque los tiempos hayan cambiado, nosotros debiéramos entonces reformular también este concepto. Siempre el inicio de la sexualidad tiene que estar asociado al compromiso, a la madurez, por lo menos física. Si a los quince años ni siquiera está preparada la estructura ósea de las caderas de esas niñas o la estructura del hombre para poder tener buen sexo, mucho menos va a estar preparada mi afectividad, mi permanencia, mi emocionalidad, si en la mañana amanezco llorando, en la tarde me río a carcajadas y en la noche estoy angustiada. Con esa variabilidad natural que yo tengo a los quince años, difícilmente voy a poder experimentar una sexualidad estable. Por lo tanto, la angustia posterior al evento, sobre todo en las mujeres, es muy alta. Los hombres, como tienen mejor capacidad para separar las cosas, pueden desbloquear el tema y si lo hicieron, ya pasó y no hay nada más, muy diferente al mundo femenino.

Desde mi visión, que puede ser sesgada, tengo la convicción de que la sexualidad tiene que estar asociada a la espiritualidad, y no a una religión, sino que a la trascendencia con el otro, donde yo, junto con entregar mi cuerpo, estoy entregando un pedazo de mi alma y estoy haciendo que el otro conozca mi vulnerabilidad, mi piel entera, mis pliegues corporales, mi espacio más íntimo, mi mundo más sagrado. Creo que hemos ido perdiendo la noción de que *somos seres espirituales viviendo experiencias humanas y no al revés*. En la medida en que logremos incorporar de nuevo en la sexualidad esa dimensión de espiritualidad, en que entendamos que no es un acto animal como lo hacen los animales, en que veamos en la sexualidad un sentido de importancia real, vamos a empezar quizás a tener jóvenes que disfruten más de la sexualidad.

En mi generación, la de los cuarenta años, todos los problemas sexuales que enfrentamos son por desconocimiento, por no saber, porque nadie nos habló, porque no teníamos dónde leer. Me atemoriza pensar que todos los traumas sexuales que va a tener la generación actual en el futuro vayan a ser por exceso de información y de práctica, pero por una práctica sin sentido. Me he encontrado en talleres con grupos de personas de treinta años, hombres y mujeres, que son viejos de alma, porque ya han experimentado todo lo que tenían que experimentar: probaron todo tipo de parejas, mezclaron todo tipo de cosas, usaron alcohol y drogas con ese afán experimentador. Repito: son viejos de alma, que dejaron de tener sueños, que no saben cómo construir una adultez con una sexualidad sana, porque están aniquilados con el exceso de experiencia que tienen. Y una mala experiencia, además, no comentada. Esto le hace sentir una soledad y angustia tremenda a una generación que está recién empezando potencialmente una vida sexual buena. Debieron haberla vivido en la edad que correspondía, con la persona apropiada y de la forma adecuada, y no como lo hicieron, que es una manera bastante "animalesca", con poco sentido.

Las parejas que construyen una sexualidad sana, adolescentemente hablando, son parejas que tienen un nivel de madurez adquirido por cómo está constituida la familia, y generalmente eso ocurre después de los 18 años. Además, pasa un fenómeno que también es antiguo: cuando se va a romper una relación a los dieciséis o a los diecisiete años, y con esa persona se tuvo la primera experiencia sexual, siempre existe el temor, sobre todo en las mujeres, de qué va a pasar cuando yo le diga a mi nueva pareja que ya tengo experiencia sexual. Se podría decir que eso es antiguo, que no pasa, pero las adolescentes se lo preguntan y les duele sentir que partieron a una edad equivocada. Y si se hace una curva estadística: se van a comprometer a los veinticinco o a los veintiocho años con el hombre o la mujer de su vida y si tienen relaciones estables de alrededor de dos años cada una, eso quiere decir que se van a acostar con diez personas antes de encontrar a la pareja permanente. Cuando lo contrastan con esa realidad, se puede decir: "No es menor el detalle, yo no sé si estoy tan dispuesta(o) a acostarme con tanto tipo(a) en mi vida".

Ahora, hay un grupo al que no le importa y que simplemente va a incorporar esto como una experiencia de su vida y va a seguir adelante. Pero hay un grupo grande al que sí le importa, pero que no es capaz de verbalizarlo, porque se siente ridículo, con el mismo temor que tiene una adolescente virgen que hoy día no se atreve a decir que a los 16 años todavía no besa a nadie, por ejemplo. Cosa que le pasa a mi hija de quince años. Cada vez que ella cuenta que no ha besado a nadie, que nunca se ha emborrachado, como muchas de sus compañeras de curso, queda fuera del circuito y la ven extraña.

Entonces poder mantener un resguardo pudoroso para una mujer o para un hombre es complicado, y es más difícil para los hombres, ya que son más apresurados en ejercer una práctica al respecto, porque tiene que ver con la masculinidad, con que el papá se quede tranquilo creyendo que su hijo no es homosexual, por ejemplo.

En el caso de las mujeres, a esta edad se empieza a producir el juego lésbico que funciona más fuertemente cuando ya están entre Primero y Segundo Medio del colegio, porque es cuando comienzan a probar sensaciones, y como no quieren quedar embarazadas, pero sí desean vivir la sexualidad, entonces eligen niñitas para poder experimentar este juego. Esto ha sido muy mal educado por las madres, que hemos verbalizado por generaciones y generaciones: "Cuídate de los hombres, que los hombres son desgraciados, que los hombres son todos iguales, que siempre van a ser infieles, que te van a dejar embarazada". Por lo tanto, si una niñita tiene en el arquetipo de su inconsciente metido esos conceptos, va a intentar probar con una mujer.

Entonces, hay una responsabilidad social de las madres y de las abuelas muy importante en el sentido de analizar cómo hemos transmitido la visión de los hombres como unos desgraciados, infieles permanentes, donde todos son malos y, además, son todos iguales. Y, por otro lado, hay una cierta permisividad en relación con la experimentación, que evidentemente hace que ellas se equivoquen. Es importante recalcar que si una niñita tiene una experiencia sexual equivocada con otra niñita en un momento determinado, eso no significa que ella se va a transformar en lesbiana. Las mujeres pueden incorporar dentro de su vida emocional experiencias alteradas, erróneas con otras mujeres y después reconectarse con su heterosexualidad y funcionar en forma normal a lo largo de la vida.

En el caso de los varones es distinto, porque si un hombre experimenta un acto sexual con otro hombre, la pulsión biológica que tiene este acto sexual le va a hacer repetir o necesitar repetir generalmente esa conducta, lo cual hace más probable que ese hombre descubra, y no opte, una condición homosexual. Insisto en el descubrir y no en el optar, porque la homosexualidad no es una elección ni es una opción, es una condición que el adolescente descubre a lo largo de su vida y que termina por descubrir, en Chile, por lo menos después de los veinte años. Eso en relación al tema de la sexualidad y de los juegos sexuales que estos adolescentes tienen.

Un siguiente punto importante a esta edad, y que también es un tema de preocupación para los padres en forma masiva, es el asunto de los límites. Hasta qué hora les doy permiso a mis hijos para salir, por ejemplo.

Evidentemente que ya a los catorce o a los quince años empiezan las salidas nocturnas, pero éstas tienen que ser siempre con un horario controlado, que no debiera ser nunca más allá de la 1 de la madrugada, como máximo a la 1:30, y donde yo los vaya a dejar y a buscar al lugar, y ojalá no con el sistema de radiotaxi. Puede haber un amigo que me los lleve y me los traiga en ciertas ocasiones, pero igual prefiero que la mayoría de las veces seamos los padres los que hagamos esto, simplemente por un tema de observar el lugar, la discoteca, la casa o a los amigos. Por más que un amigo mío vaya y haga el turno, no me va a contar toda esa información. El ver a mi hijo, el tomarle el olfato, el mirar sus ojos, el observar cómo salió y con qué estado de ánimo son antecedentes importantes para poder saber en qué están él y el grupo con el que frecuentemente sale o tiene contacto. Por lo tanto, creo que ese tema es clave en la postura de los límites.

Para que uno pueda ser libre en la vida, necesariamente tiene que aprender a ser responsable. Por lo tanto, yo como madre, como padre o como tutor de un niño no puedo entregar libertad si es que no he logrado descubrir si mi hijo es responsable con las cosas internas de la casa. Me refiero a cuántas veces pierde las llaves de la casa en el año, cuántos celulares ha extraviado –si es que ha tenido–, cómo tiene ordenada su habitación, si cumple o no con sus deberes escolares, si tiene buenas notas, si es un adolescente responsable, para que de verdad yo pueda suponer que va a funcionar con el placer en forma correcta. Eso requiere que yo conozca a mis hijos e hijas. Tengo que ser capaz de observarlos desde una panorámica bastante más amplia que el solo hecho de saber que quiere o no quiere ir a una fiesta.

Ese conocimiento amplio pasa por la historia de vida con ese hijo, y que no ocurre recién a esta edad, sino mucho antes, y que permitirá tomar decisiones. Aquí es donde entra el conflicto con esta concepción de que los padres tendrían que ser amigos de sus hijos. Yo no puedo ser amiga de mi hijo o de mi hija nunca; sí puedo establecer vínculos de confianza. Me estoy refiriendo a la amistad mal entendida donde, como sucede muchas veces, mi hijo o mi hija me puede garabatear y faltar el respeto, donde a mí como padre se me complica darles órdenes porque siento que no me hacen caso, donde los límites que yo les coloco los traspasan sin sanción porque no quiero verlos molestos conmigo. Empieza a existir entonces un temor de los padres a que los hijos se enojen con ellos; por lo tanto, tienden a entregar muchos permisos para que los hijos los consideren buenos padres. Eso viene asociado además a la idea de compensar con la compra de cosas –tenga pocos o muchos recursos– las faltas de afecto o de preocupación real por estos niños.

Acabo de terminar un estudio donde les preguntaba a los niños: "¿Qué cosas recordarían de sus padres si se mueren hoy?". Los niños tenían edades entre once y quince años. El 95% respondió que recordarían que sus papás trabajaban arduamente y que los veían muy poco, pero les compraban todo lo que ellos querían. Cuando leí la conclusión sentí una gran angustia, y pensé: "¿Qué voy a recordar yo de mi madre?". Mi mamá me hacía la torta de cumpleaños, pero se demoraba tres días en ello; hacía el bizcocho un día, al otro día había que cortar el bizcocho para que se humedeciera con ron, azúcar y agua, después había que ver si se rellenaba con manjar o con merengue. Todo eso implicaba cariño; nunca mi mamá iba a comprar una torta hecha.

Hay situaciones en que los padres estamos obligados a repensar lo que estamos haciendo.

Si nos preguntamos cómo queremos que nuestros hijos nos recuerden cuando no estemos, dudo de que queramos ser recordados solamente por haber comprado cosas. Espero y pienso que la gran mayoría de los padres lo que quiere es que sus hijos recuerden las otras cosas, las que no tuvieron valor económico. El rascado en la espalda, el besito, aunque los niños lo rechazaran porque eran adolescentes y porque tenían que mostrarse grandes; el haber cocinado algo rico, la mesa bien puesta, etc. Espero que ésos sean los recuerdos que los padres quieran obtener.

Esto es una invitación a la reflexión con el tema asociado a los límites, al cómo los papás estamos normando y educando a nuestros hijos. *Un niño para que se cuide solo, necesita ser cuidado primero*, y requiere ser cuidado por sus padres, no por la sociedad, ni por el colegio, ni por la policía. Como papá tengo la responsabilidad del cuidado que le otorgo a mi hijo, y de colocarle todas las restricciones posibles para que él se pueda educar y crecer siendo la mejor persona. Mientras más grande salga mi hijo a vivir el mundo adulto, con las exigencias que tiene, en la sexualidad, en la responsabilidad, será mejor para él. Por lo tanto, el tema de la concepción de responsabilidad para entregar libertad es clave.

Otro concepto asociado a esta edad es el de la libertad, que claramente está muy mal entendido por las generaciones jóvenes. Nosotros como papás hemos transmitido que la libertad o ser libres es hacer todo lo que uno quiere. La persona que de verdad es libre es aquella que hace primero lo que debe, y después lo que quiere, porque ahí realmente se es libre para poder disfrutar. Por eso, siempre digo que las tareas del colegio se hacen los viernes en la tarde y no los domingos en la noche, porque si no el fin de semana nadie estará libre para hacer lo que desea, pues todos estarán preocupados de las cosas pendientes que tienen, y, por lo tanto, nadie podrá disfrutar de la libertad del sábado y del domingo porque no se hicieron las cosas cuando tenían que realizarse.

El otro concepto importante asociado a la libertad es que como padres no estamos enseñando el concepto de la fuerza de voluntad en nuestros hijos y en los colegios tampoco lo hacen. El tema de la perseverancia, de la satisfacción del deber cumplido, de acostarse en la noche cansado –porque acostarse en la noche cansado es un privilegio–, significa que yo entregué hoy todo lo que tenía para dar; por lo tanto, puedo decir que el día valió la pena.

Nosotros como adultos les estamos mostrando a los adolescentes un mundo donde la responsabilidad es algo de lo cual hay que arrancar, porque nos genera un gran agotamiento. Nos despertamos diciendo que estamos cansados, haciéndoles sentirles a nuestros hijos que trabajamos para que ellos tengan lo que necesitan y no les mostramos que disfrutamos de lo que hacemos. Por lo tanto, cada vez es más frecuente que los hijos no estudien las carreras de sus padres, porque no los ven felices en lo que hacen.

Por eso es que nuestros hijos no quieren crecer, porque el testimonio que nosotros les estamos mostrando de la vida como adultos es de poca felicidad, de poca alegría, de poca capacidad de goce con lo que hacemos, y, por el contrario, les mostramos que gozamos cuando escapamos de esa responsabilidad, cuando hay un fin de semana largo o cuando decimos "gracias a Dios que es viernes". Todo eso los niños lo perciben, y por eso tenemos una generación que ya no estudia para la mejor nota. Una generación que tiene cero tolerancia a la frustración y unos padres a los que les cuesta desarrollar virtudes en sus hijos, sobre todo en esta época que requiere educar en virtudes, aunque hay que hacerlo desde que son más pequeños.

Las virtudes que un adolescente debiera desarrollar son la tolerancia, la valoración por el otro y sus diferencias, la paciencia, la templanza o la calma para poder tomar decisiones, el respeto y la compasión, pero en el sentido budista de la palabra, que tiene que ver con el amar al otro como un ser distinto a mí, y empezar a hacer una integración entre la excelencia académica (que es lo que todos los padres pareciéramos buscar vertiginosamente) y la excelencia del alma, es decir, si no tiene una consistencia de virtudes y de valores internos, ese buen rendimiento en el colegio no le va a servir de nada para la vida.

Hoy más que nunca los profesionales más valorados no son los que saben más —porque todos podemos saber lo mismo–; los más valorados son los que además de ser buenos profesionales, son buenas personas. Y eso tiene que ver con la educación que se entregó en la casa, lo que se fomenta en la adolescencia. Este aprendizaje en la fuerza de voluntad ayuda claramente a la consistencia con los sueños.

Le comentaba a un grupo en un colegio: "Cada vez que ustedes se sacan una mala nota porque no estudiaron, porque les dio lata hacerlo, porque flojearon, porque prefirieron ver televisión, etcétera, lo único que están haciendo es alejar el logro de su propio sueño. Si se sacan una buena nota, el sueño se acerca y se hace realidad. Si se sacan una mala nota, se alejan de ese sueño. Por lo tanto, si eso ustedes lo acumulan en el trimestre o en el semestre, ese año los acercó a los sueños que tienen para la vida o los alejó, dependiendo de su voluntad, libre y soberana".

Siempre se dice que la nota buena me la saqué y la nota mala me la pusieron, porque somos expertos en afirmar que no somos responsables de las cosas malas que nos ocurren. Yo soy protagonista de cuánto he trabajado por lograr mis sueños. ¡Eso significa una mala nota! No es el castigo que me va a dar mi papá o que no voy a poder ir a una fiesta, sino que es entender que todo acto tiene consecuencias; por lo tanto, esas consecuencias yo tengo que ser capaz de asumirlas. Si yo no cancelo mi cuota en una multitienda el día que la tenía que pagar, me van a cobrar intereses, aunque tenga las razones más importantes del mundo para haberme olvidado.

Los niños deben aprender desde pequeños que todo acto tiene consecuencias y, por lo tanto, si a mí se me olvidó llevar la cartulina amarilla a clases, mi mamá no me la tiene que traer al colegio. A mí me tienen que poner la nota que me merezco por haberme olvidado de esa cartulina, porque era mi responsabilidad.

Y eso genera la sensación de que todo acto tiene consecuencias, y, por lo tanto, tengo que ser capaz de pedir perdón, de revertir el error y de reaprender o de reparar lo que he hecho mal, concepto que esta generación, sobre todo a los quince años, no tiene, porque no repara nada. Todo lo desecha. No repara los calcetines, como yo lo hacía con la ayuda de una ampolleta para poder zurcirlos. No reparan las aspiradoras, porque al final sale más barato comprarse una nueva que mandarla a arreglar. No tienen el concepto de reparación en su vida, porque ellos no arreglan nada. Por lo tanto, internamente el concepto del perdón, que es la reparación por excelencia, no está incorporado. Entonces, el tema es desechar, es cortar la relación y empezar con otra, porque para qué voy a pedir perdón.

Por lo tanto, corremos el riesgo, en esta falta de consistencia con los sueños y la voluntad, de que esta generación no tenga relaciones muy a largo plazo, porque para tener relaciones largas hay que perdonar. Por eso es tan importante el desarrollo de estas virtudes y que los padres trabajen en evaluar la sensación de fracaso. Enseñarles a los hijos que *el fracaso no existe*, que existe sólo el aprendizaje, y quizás ser un poco hindú en eso y cambiar la palabra "fracaso" por "aprendizaje" y "problema" por "lección". Si logramos hacer ese juego de palabras, cambiará absolutamente el significado de lo que yo estoy viviendo, y me hará vivir el dolor como una oportunidad de crecimiento; por lo tanto, me hace tolerar mejor la frustración. Me permite ponerme en el lugar del otro, desarrollar la empatía y no hacerle daño al otro; por lo tanto, jamás voy a postear a nivel tecnológico nada que al otro le haga daño, y así el *bullying* tiende a desaparecer.

Por eso siempre he dicho en forma muy brutal que el *bullying* no es otra cosa más que un grupo de niños maleducados. Posiblemente en sus casas no les han informado que no le pueden hacer al otro lo que no quieren recibir ellos. Si un adolescente aprende eso, jamás va a ser un agresor, de ningún tipo.

Cuando ese aprendizaje no se produce, entonces empiezan estos mecanismos que hoy día son tan sofisticados, y los psicólogos nos llenamos la boca hablando del *bullying* y de todo ese tipo de cosas, cuando en el fondo si los padres hacen lo que les corresponde y educan a los hijos en los valores correctos, ese niño jamás va a ser agresor y, por lo tanto, va a poder ayudar a alguien que es agredido y no al revés.

Entonces, el desarrollo de las virtudes es central en este período de los quince años, sobre todo en el aprendizaje del dolor, como una oportunidad de crecimiento en la vida emocional, en el establecimiento de redes sociales, en el poder tener amigos de verdad, donde estos valores sean practicados y donde yo como madre o como padre los vea, los vigile y sea capaz de criticar a mi hijo cuando escucho que dice, por ejemplo: "Noooo, este gordo asqueroso". Entonces lo debo detener enseguida y decirle: "¿A ti te dolería que te dijeran así? Llámalo por su nombre, no hay para qué descalificarlo". Pero este tipo de actitudes hay que detenerlas en el minuto, porque si se deja pasar algo así, estoy validando esa ofensa; mi silencio la validó. Por lo tanto, dejé pasar una oportunidad para la educación en la virtud, que es lo que tendríamos que hacer fuertemente en esta etapa.

Otro punto importante de esta edad es el tema de la tecnología y en qué medida utilizarla. Está claro que la tecnología llegó para quedarse. Internet cada vez va a tener más oportunidades, especialmente ahora con la línea *touch*, donde todo se toca, y ya casi no hay teclado. Es decir, va a seguir creciendo e invadiendo nuestras vidas privadas en forma casi agresiva. Frente a esta realidad, yo como adulto, como madre, como padre o como tutor de ese adolescente tengo que tener la capacidad de ver hasta dónde me engancha este circuito, porque si yo soy un padre que está todo el día con el computador, me acuesto con el *notebook* y me levanto con el *blackberry*, donde si estoy sentado a la mesa y me llega un *mail*, yo lo contesto mientras estoy comiendo, entonces no tengo ninguna autoridad moral para impedirle a mi hijo que haga lo mismo con los mensajes de texto, con Internet, con el MSN, con Facebook o con lo que venga adelante. Por lo tanto, lo primero que tengo que hacer aquí es preguntarme cuánto he permitido yo que la tecnología entre en mi vida y qué testimonio estoy dando como adulto a mis hijos en el manejo de esto. Si me respondo que efectivamente controlo el tema de la tecnología, que hay minutos en que apago el celular porque es más importante conversar con mis hijos, si me acuesto y no tengo el *notebook* en la cama, entonces puedo exigirles lo mismo a mis hijos. Pero si me acuesto con el *notebook*, haciéndole sentir a mi mujer que el computador es más importante que ella, entonces estoy mostrando un modelo de pareja, un modelo de vida, que a la larga ellos van a copiar y van a configurar. El tema de los límites pasa por un tema de honestidad primero.

Teniendo eso claro, hay que saber cuáles son las consecuencias del exceso de tecnología en la casa. El exceso de tecnología hace que disminuyan las habilidades sociales, y se conversa mucho menos. La solución de conflictos no está producida por un cara a cara, sino que a través del teclado y de otras fórmulas indirectas que hacen que la personalización con el otro no exista. Hay un abuso de las habilidades que me entrega la tecnología para yo escapar de la comunicación, como tener encendido excesivamente el televisor, el computador o el celular; por lo tanto, se tienden a desmembrar las redes comunicacionales de la casa, porque cada uno se comunica en forma individual con otras personas que no están allí presentes.

De hecho, es muy llamativo ver cuando se junta un grupo de jóvenes: ¡Lo que hacen es hablar con quienes no están! Es decir, la gran mayoría está hablando por celular con quienes no han llegado aún, en vez de hablar con quienes están y apagar los celulares. Entonces, eso tiene que ver con la dificultad de poder establecer comunicación con el otro y eso está aprobado por la tecnología.

Hasta los dieciocho años, y de ahí en adelante, porque en la adultez pasa lo mismo, nadie debiera estar expuesto a una pantalla –a excepción de la gente que trabaja en computación evidentemente– más allá de tres horas y media. A los quince años, el promedio está entre una hora y media y dos horas diarias, lo cual es muy poco en relación con la realidad, a lo que de verdad ocurre. Transcurrido ese tiempo, sucede lo mismo que pasaba con los niños de nueve y once años que se vuelven más irritables, que desobedecen más, que pierden comunicación con el resto de la familia, que se ponen más ansiosos; por lo tanto, comen más, sobre todo alimentos calóricos. Tampoco tienen capacidad de resolver conflictos de frente, son malos para hablar temas largos o desarrollar conceptos y poder analizar, por ejemplo, una determinada noticia, porque los cansa y están acostumbrados a que el teclado sea más rápido. Para qué hablar de la ortografía y del lenguaje, que es lapidario. Todos los esfuerzos que hicieron los profesores de lenguaje para que escribieran bien no sirvieron porque hoy día hasta los médicos escriben más claro que como lo hacen los adolescentes. Y esto tiene que ver con que hoy hasta existen concursos donde gana el que anota más rápido un mensaje de texto. Por lo tanto, no se escriben las palabras en lenguaje común y corriente, sino que en "lenguaje chat". Eso implica escribir menos. Por lo mismo, cada día ocupamos menos el lápiz, y eso a la larga va generando un cambio, que puede ser positivo si es bien llevado y no se pierde la esencia de la conversación cara a cara con el otro.

Yo prefiero que mis hijos gasten más dinero en teléfono, pero sean capaces de escuchar la voz del otro, a que estén chateando porque no tienen ningún matiz de nada y, por lo tanto, la interpretación o la lectura que yo tengo de un "te quiero mucho" en un MSN de un amigo es distinta a la que él de verdad quiso transmitirme. En cambio, al menos con un tono de voz lo voy a tener mucho más claro. Es mucho más real, más concreto.

No es menor que en un corto tiempo llegamos a estar más de dos millones de chilenos suscritos a Facebook y que seamos el país con más *fotologs* en el mundo. Estos antecedentes nos señalan que Chile es un país con escasísimas habilidades sociales y claramente la tecnología y estas redes sociales virtuales vinieron a solucionar un problema (cómo hablar y cómo decir lo que sentíamos), pero que, sin embargo, a la larga nos produce mayores conflictos y más serios. Yo creo que la tecnología en sí misma no es ni mala ni buena, ya que depende de cómo se use.

Hay parejas que han aprendido, por ejemplo, a mandarse *mails*, lo cual puede ser una muy buena estrategia de comunicación; de hecho, yo la recomiendo en un montón de terapias, siempre y cuando eso después quede depositado en una conversación, en la conducta cotidiana real con el otro, y no como una forma de comunicación donde yo nunca te dije nada de frente, pero a partir de los *mails* nos comunicamos fantástico.

Entonces, en el tema de la tecnología los padres tienen que poner límites; saber, por ejemplo, si su hijo tiene Facebook o conocer su *fotolog*, pero que él me explique y asumirme yo como ignorante. Que él me arme un Facebook para que yo me pueda meter y a través de eso tener acceso al mundo de mi hijo. Poder entrar en este tema que a los adultos nos da susto; por lo tanto, como nuestros hijos lo manejan mejor que nosotros, nos alejamos y con eso perdemos una cantidad de información y de control gigantesco y que a la larga puede traer problemas muy serios.

Otra cosa que no me gustaría dejar de mencionar tiene que ver con el desarrollo de la espiritualidad. En general, en las familias que creen en algo, en esta época experimentan en sus hijos un alejamiento que es natural con respecto a la fe. Erickson llamaba a esta etapa moratoria, que es como colocar entre paréntesis los valores que mis padres me enseñaron para yo poder crear mi propia escala valórica, y eso indudablemente incluye el tema de la espiritualidad.

Sin embargo, creo que aquí también es importante valorar los ritos que la familia tenga y que los siga teniendo, aun cuando ese adolescente no participe, porque como es un período limitado, igual él necesita ver que los adultos siguen con esos ritos y que les hacen bien. Hay que mantener el valor de la espiritualidad y el sentido que tienen la vida y la juventud. Yo creo que como ninguna otra etapa de la vida, la gran maravilla que tiene la adolescencia es descubrir que yo puedo ser malo, que puedo tener un lado oscuro, que puedo mentir, que puedo flojear, que puedo decir algo y no cumplirlo, que puedo experimentar envidia, que puedo desear que al otro le vaya mal, que puedo experimentar el goce frente al sufrimiento del otro.

Y el desafío de la adolescencia como gran proceso es poder elegir con cuál adolescente me voy a quedar: si con el adolescente luminoso, con cara contenta, que cuenta lo que le pasa, que a veces guarda sus reservas, que tiene su mundo privado, pero que es capaz de comunicar, que entrega amor, que es capaz de hacerle cariño a su abuelo, que se preocupa por él, que lo llama, que estudia, que es responsable, que sale con amigos, que pololea, que es capaz de generar redes de ayuda en determinadas circunstancias. O con el otro, que es un adolescente mal genio, callado, que no habla con nadie, que es flojo, que no responde a nada social, que tiene un grupo de amigos que son todos iguales. Entonces, con cuál me voy a quedar, con cuál de esos dos, porque esos dos están dentro de mí. Ahora, el que yo elija a uno o a otro depende de la familia que tenga. Si en la familia a la que pertenezco nadie habla con nadie, está todo el mundo tecnológicamente conectado, pero solos, es evidente que este adolescente solitario va a aparecer mucho más fácil que el otro luminoso, que quizás va a aflorar en una casa llena siempre de gente, donde los niños van a invitar a amigos a almorzar, donde no va a haber qué comer, pero se va a cocinar algo rápido, como menos estructurado, pero con más cariño de fondo. Donde se recibe con mejores ganas la adolescencia como período, y los padres disfrutan de sus hijos adolescentes y no los sienten como un problema. Ése es el gran desafío: que cada adolescente tiene privadamente la posibilidad de elegir qué tipo de persona quiere ser. Por lo tanto, va a configurar de una manera clara qué tipo de adulto va a llegar a ser el día de mañana con los sueños que él vaya incorporando.

Y en eso el tema de la espiritualidad y de la trascendencia en la vida es clave. Hoy está casi probado en todas las investigaciones que la inteligencia emocional, que era el concepto más vanguardista, no es garantía absoluta de felicidad. El concepto clave hoy es la gente que tiene inteligencia espiritual y esta gente no es que esté adscrita a una religión marcada, pero sí posee la capacidad de entender que todo lo que hace tiene una trascendencia, ya sea en el otro, en mí o en la vida. Y por lo tanto, esa concepción me permite ser cuidadoso, respetuoso, empático, solidario, etcétera.

Por otro lado, entre los trece y los quince años, el factor del alcohol parece ser uno de los temas fundamentales. Me sorprende mucho tener que tocar este tema dentro de este rango de edad y no a los dieciocho, como diría la ley chilena y también la internacional en la que uno debiera hablar sobre el alcohol. Todos sabemos, los adultos, que es ilegal tomar alcohol antes de los 18 años. El problema es que ningún adulto parece respetar esa legalidad, y quizás lo más peligroso de eso es la formación valórica que a través de esto les estamos mostrando a los adolescentes, porque en el fondo les estamos diciendo: "Mira, en realidad esto no se debe hacer, pero como todos lo hacen y parece 'normal', el que lo realices, si no te pillan, está bien". Ése es el mensaje valórico que hay detrás; por lo tanto, ese mismo adolescente podría manejar o conducir un vehículo antes de los 18 años, porque entretanto no lo pillen, tampoco es un riesgo. Podría también después evadir impuestos o ser infiel; mientras no lo sorprendan, pareciera no ser un factor preponderante.

Con esto, sin duda alguna estamos educando una "moral heterónoma", descrita así por Piaget. Una moral que está basada sólo en las consecuencias de los actos y no una moral autónoma que tiene que ver con la intencionalidad y la voluntad con la cual uno decide o no cometer un acto poco correcto.

No me quiero centrar en el aspecto de que

el alcohol hace mal, porque evidentemente es así. Quizás muchos de estos adolescentes a los treinta años van a necesitar un trasplante de hígado porque ya antes de los dieciocho han tenido por lo menos dos o tres hospitalizaciones por intoxicación alcohólica. Tampoco me quiero centrar en el tema cultural que hace que un dueño de una botillería venda alcohol a menores de dieciocho años sin pensar que probablemente ese adolescente podría ser su hijo. Esto fue parte de la campaña que realicé en México y que dio muy buenos resultados en los lugares o en las botillerías en las cuales se aplicó, porque se les hizo tomar conciencia a los dueños de las botillerías de que no les vendieran alcohol a menores de dieciocho años, pensando efectivamente que el que entraba por la puerta era su hijo. Aquí nos acusarían de liquidar un negocio; por lo tanto, hay poca conciencia social de que todos podemos colaborar a que este problema aumente o disminuya.

Me quiero centrar en qué hace que un adolescente sienta que una fiesta no puede dejar de tener alcohol para que sea entretenida. ¿Qué hace que los adolescentes hayan hecho esta asociación? ¿Qué los lleva a pensar que si el alcohol se acaba, la diversión también? ¿Qué hace que se compre apenas un paquete de papas fritas y 20 cervezas para parezca que algo van a comer, cuando en realidad el tema es tomar lo más posible hasta el punto de que "se les apague la tele", o sea, que pierdan la conciencia de lo vivido? Paradójicamente, el mejor carrete descrito por ellos es el del cual no me acuerdo nada de lo que hice.

Me quiero centrar en las razones que fundamentan esto, en cómo educamos a los adolescentes para que ellos lleguen a consumir alcohol con esta intensidad (hombres y mujeres, incluso mujeres con mayor proporción que hombres) en un grado que les hace perder la conciencia de la realidad, siendo la puerta de entrada a las drogas, a la desinhibición sexual, al desenfreno y al inicio de la violencia social.

Cuando a un niño de tres o cuatro años se le celebra el cumpleaños, éste se realiza generalmente fuera de la casa propia, quizás porque dudamos mucho de la educación que estos niños tienen, lo que hace que prefiramos arrendar un local para que no nos destruyan la casa que tanto hemos cuidado. Cuando se les hace una fiesta de cumpleaños, independientemente del nivel socioeconómico, se intenta tener elementos de atracción, algo para que el niño no se aburra. Si hay más recursos, se puede contratar a alguien que se disfrace, a una tía que pinte caritas de conejos, camas elásticas, etc., con lo cual el niño no tiene nada que hacer, pues lo entretienen desde afuera y le provocan la sonrisa y le producen la diversión desde el exterior.

Algo distinto a lo que mi generación vivió, donde en una fiesta de cumpleaños existían las cosas para comer y para tomar, que en realidad eran muy modestas, y el resto dependía de nuestra capacidad de entretención, de cómo nosotros inventábamos los juegos, de cómo nosotros diseñábamos el entretenimiento para pasarlo bien con los que estaban invitados a nuestro cumpleaños.

Fuera del contexto de la fiesta de cumpleaños, los niños se entretienen con la televisión, con el computador o con el celular. Es decir, nuevamente la pauta es que se distraen desde afuera, porque desde adentro parece que nada lo hace. Y eso empieza a generar escasez de habilidades sociales, no saben cómo hacerlo y el aburrimiento se les hace intolerable no sólo a ellos, sino también a sus padres.

Por lo tanto, no debiera extrañarnos que cuando ya llegan a los quince años con valores erróneos, como lo acabo de mencionar, los niños no sepan cómo divertirse. Y recurran a un factor externo, que evidentemente ya no puede ser el disfraz, la televisión o el computador. Todos estos son reemplazados por factores externos, como el alcohol, que los "encienden", que los "prenden", como los llaman ellos. El alcohol les permite expresar lo que de otra manera no dirían. Los hace reírse y compartir con amigos características que sobrios no serían capaces de desarrollar, ni demostrar afectos que no sea a través del trago.

Los niños pareciera que consumen alcohol producto de una escasez de habilidades sociales, de no saber cómo hablar, de cómo entretenerse, si es que no tienen algo en el cuerpo que les "condimente" su comportamiento social. Debido a eso, también se produce el alto consumo de pastillas, como el éxtasis, anfetaminas o jarabes, que de una u otra manera activan el sistema emocional para poder tener la personalidad que sin estos elementos anexos les sería imposible poseer.

Esto lleva a una configuración que les hace entrar en el mundo del alcohol a muy corta edad. Quizás si lográramos que nuestros hijos se comunicaran más, usaran menos la tecnología o que desarrollaran la sobremesa que mencionaba en los capítulos anteriores, llegarían con la habilidad de poder conversar y, por lo tanto, no requerirían de factores externos para desarrollar habilidades sociales. No necesitarían el alcohol.

Esto configura un tipo de carrete o de fiesta muy distorsionada, donde se baila solo, donde el baile en pareja está sólo condimentado por el primer beso o el inicio sexual; donde la música y el ruido dificultan notoriamente la capacidad para conversar. Donde el consumo de alcohol es clave y el tema de la comida o el compartir desaparece, y, por lo tanto, se abre el espacio también para que gente inescrupulosa pueda darles drogas a los adolescentes, sin que ellos se den cuenta. Por eso siempre señalo, en forma muy insistente, que no permitan que les abran una bebida a sus espaldas, que no se separen nunca de su vaso, que vayan hasta el baño con él, porque no sería nada raro que alguien en forma gratuita y aparentemente generosa les vaya a colocar droga con el fin de que se genere la dependencia y después evidentemente empezar a hacer el negocio.

El tema de los carretes es algo que debiera estar vigilado por los padres y ojalá se hiciera, sobre todo a esta edad, en la casa y no fuera de ella, o en colegios vigilados por adultos. Las reuniones sociales de los adolescentes deben estar supervisadas por adultos, para que estos últimos vayan tomando conciencia y conocimiento de lo que allí está ocurriendo y, al mismo tiempo, sirvan de freno para los conflictos que se presenten.

Según mis estudios, todos los problemas de alcohol, de drogas, de desinhibición sexual o de violencia, dentro de estas actividades sociales adolescentes, se inician después de las 2:30 horas. Por lo tanto, quiero decir con esto que a esta hora parece razonable el hecho de colocar un límite en los horarios de permiso de estos jóvenes. Permitir un horario más tarde puede generar un montón de riesgos, que ningún padre bueno y sano y bien centrado valóricamente quisiera que sus hijos vivieran.

Este tema que si bien comienza con mayor efervescencia en Primero y Segundo Medio en el colegio, se termina de consolidar en Tercero y Cuarto. Se relaciona también con la falta de comunicación familiar posterior a estos eventos. Generalmente, los niños duermen mucho al otro día, tienen muy poca comunicación con sus padres y no se sientan a la mesa. Acá también hay que poner un freno.

Los niños tienen que decidir un solo día del fin de semana para poder salir, no ambos. Y cuando hay vacaciones, no se debe salir todos los días, sino que un día a la semana, y uno o dos del fin de semana; de esa forma, ellos no relacionan las vacaciones con el desenfreno, el descontrol o con hacer lo que quieran. El descansar también tiene que tener un orden para que apunte a una mejor convivencia familiar. Los límites en las vacaciones tienen que estar puestos desde el primer día y no a medida que vayan surgiendo los conflictos, porque ya en este punto va a ser muy difícil poder controlarlos.

Muchas veces, y lo dije también en el capítulo anterior, el alcohol sirve como desinhibidor sexual y, por lo tanto, tiende a generar los primeros comportamientos sexuales, que en general desembocan además en embarazos adolescentes evidentemente no deseados y muchas veces ni siquiera conscientes. Yo no diría que un embarazo arruina la vida de una adolescente, pero, sin duda alguna, posterga muchos de los sueños que estos adolescentes puedan querer construir para su vida adulta y, al mismo tiempo, también les hace vivir una dimensión de la adultez a una edad en la que no estaban preparados para el sexo y menos para el tema de la paternidad.

Y aquí quiero resaltar la ausencia del protagonismo masculino, porque muchos adolescentes abandonan y dejan de lado a esa mujer que va sola a conseguirse la "pastilla del día después";

el hombre prácticamente no existe en este proceso. En vez de preocuparnos de esa pastilla, nuestra atención debiera centrarse en descubrir qué pasa en esta adolescente que la lleva a embarazarse, que puede ser, como decía en el capítulo anterior, por temor al enojo del adolescente varón y, por lo tanto, a la pérdida afectiva que esto puede llegar a involucrar.

Todos los frenos que los padres puedan colocar en la iniciación sexual de sus hijos son necesarios. Los mismos frenos que nos ponían nuestros padres. Por ejemplo, no dejar que la pareja ingrese a la pieza de mi hijo(a); por lo tanto, no debo permitir tampoco que los amigos(as) de mi hija entren en forma permanente y estable en las habitaciones. En las habitaciones se duerme y se recibe a gente cuando uno está enfermo, pero no se hacen actividades sociales; para eso existen los livings, y algunas casas tienen el privilegio de tener salitas que permiten que los adolescentes se reúnan en esos espacios.

Cuando una hija adolescente queda embarazada, los padres en este proceso tienen todo el derecho a enojarse, a *shockearse*, a enrabiarse, pero también tienen la obligación posterior a este acto de apoyar, de contener y, sobre todo, de hacer responsables a estos jóvenes del proceso que viven. Ellos tienen que informarles a sus hermanos del embarazo; contarles a los abuelos, tíos, primos, etc., y no son los padres los encargados de hacerlo. Son ellos también los que deben hablar el tema en el colegio; después irán los padres a ver lo estrictamente académico, pero son ellos los que tienen que asumir las consecuencias de este acto en forma adulta. Si se quieren vivir cosas de adultos, también se tienen que afrontar las consecuencias que esta adultez pueda tener.

A esta edad también se empieza a consolidar la formación valórica, el desarrollo de las virtudes, el hablarles a los hijos en positivo, el desarrollar los valores espirituales que a la larga le van a permitir a este adolescente vivir una post adolescencia, entre los dieciséis y los dieciocho años, bastante más sólida. También es importante el esquema de la familia que se tenga; si hay una mamá sola educando a sus hijos, va a tener que lidiar con factores femeninos y masculinos dentro de ella misma para poder contener emocionalmente, ser cálida, cariñosa y tierna, y al mismo tiempo tener la capacidad de ser firme en las reglas y poner límites. Esto también es válido para un hombre que eduque solo a adolescentes dentro de este rango.

La gran misión de los trece a los quince años es poder establecer vínculos de amistades y consolidar el tema del rendimiento. Es poder tener el primer esfuerzo dentro de Primero Medio de la enseñanza, donde todos dicen "ahora sí, ahora me voy a poner a estudiar porque las notas sí importan y sí valen", y claramente eso al final nunca termina por ser una obligación, porque la flojera o la lata es la que a la larga desvirtúa el privilegio de la obligación en estos años.

Así cerramos la etapa entre los trece y los quince años, una etapa sin duda llamada la definición de la personalidad, donde el adolescente debe elegir si quiere ser el adolescente positivo y luminoso o el adolescente mal genio y poco colaborador. Pero hay que recordar que esta etapa a la larga se nos termina prolongando hasta los treinta años, porque los niños no desean crecer, no quieren tener más de quince o dieciséis años, porque les da mucho susto enfrentar un mundo adulto que nada tiene para mostrar, donde efectivamente la felicidad y el goce de los mayores deja mucho que desear. Y es en esta etapa donde se cimientan las bases de una buena o quizás mala adultez. Eso va a depender de las características de la familia, de cómo el colegio acoja también todo este período de edad, y también de cómo todos vayamos apoyando o no a estos adolescentes. Es necesario poder tener entre adultos unas redes solidarias que nos permitan ayudarnos entre todos como padres para detectar cuándo nuestros adolescentes tienen problemas. Es muy llamativo encontrar que en Chile ningún padre asume que tiene un hijo problema, y, por lo tanto, nos cuesta mucho asumir que estamos pasando por un período problemático con nuestros hijos. Si fuéramos más solidarios entre los padres, si no nos enojáramos cuando algunos amigos nos dicen que vieron a nuestros hijos(as) en comportamientos inadecuados, y empezáramos a trabajar en forma solidaria, muchos de los problemas que nuestros hijos tienen con el alcohol, con las drogas o con el comportamiento sexual no existirían evidentemente. Así que aquí ya hay mucha tarea que realizar entre los trece y los quince años.

DE 15 A 18 AÑOS
búsqueda de sueños

Esta etapa que llamé "Búsqueda de sueños", que va entre los quince y los dieciocho años, es un período que debiera estar quizás matizado por menos efervescencia, menos cambios temperamentales, algún grado ya de estabilidad en el carácter de nuestros hijos y también en el modo en el que enfrentan los desafíos cotidianos, como la responsabilidad y el deber.

En esta etapa se sabe que los jóvenes están en una carrera para el ingreso universitario, profesional o técnico –la que decidan o en la que pueda quedar– y, por lo tanto, saben y tienen plena conciencia de que la "flojera" de los últimos años de la enseñanza básica tiene que acabar, porque las notas o el rendimiento académico importan para el ingreso universitario.

Los países latinoamericanos tienen cada uno su propio sistema para el ingreso a las universidades o a las carreras técnicas, pero claramente a esta edad, independientemente del país donde estén los adolescentes, ya tienen que empezar a buscar dentro de sí mismos esos fuegos internos, esas llamas que de alguna manera tienen que saber fomentar para la búsqueda de una formación profesional o laboral.

Éste es uno de los mayores desafíos que la adolescencia presenta. Recuerdo que cuando estudiaba psicología nos enseñaban que era una de las grandes metas de la adolescencia. Uno terminaba la adolescencia cuando ya tenía resuelto el tema vocacional, así que es una de las grandes tareas que, sin duda alguna, influyen en el futuro.

En relación con este tema es importante buscar estos grandes sueños; averiguar qué es lo que yo siento, quiero o puedo aportar a esta sociedad a lo largo de la vida. Dónde me veo son-

reír durante ocho horas diarias y no estar con
mala cara trabajando en cosas que no me gustan o que no me llenan el alma. Por eso, planteo
la búsqueda de sueños y no de carreras.

Recuerdo con mucho cariño, hace algunos
años, a una adolescente de 4º Medio de Iquique
(ciudad nortina de Chile) que estaba muy deprimida porque no había quedado en la Escuela de
Investigaciones Policiales por un tema médico.
Ella muy triste me decía: "Siento que no hay
nada más en la vida que yo quiera hacer que estudiar en la Escuela de Investigaciones Policiales". Entonces le pregunté cuál era la razón por la
que quería entrar a la Policía de Investigaciones.
Ella me respondió que en realidad era porque
siempre su sueño había sido querer apoyar a los
más débiles. Frente a esta respuesta le mencioné que hay muchas carreras, más de veinte, que
le permitirían cumplir ese sueño y no necesariamente debía ser la carrera de oficial de la Policía de Investigaciones. Hoy ella es una abogada
que defiende las causas de abusos sexuales en
menores y es muy conocida en Iquique. Trabaja para la Policía de Investigaciones y ha podido

cumplir su sueño en plenitud.

Muchas veces la orientación vocacional se transforma en desorientación vocacional, porque tratamos sólo de encontrar aptitudes y habilidades que sumen o que compatibilicen con una carrera determinada. Generalmente, los grandes sueños que tenemos no tienen relación con las cosas que hacemos mejor. Por eso, el sueño que se tenga es el que va a dar la fuerza para poder desarrollar mejor las habilidades en las cuales soy medianamente torpe. Por lo tanto, la suma de habilidad, aptitud, igual carrera no es la fórmula adecuada.

Hay que buscar otras variables que vayan mucho más adentro del ser humano, que tengan que ver con una visión incluso espiritual. Por ejemplo, con preguntarnos para qué fui llamado a esta tierra o para qué Dios –o en quien yo crea– me puso acá; dónde están mis grandes talentos y cómo voy a esforzarme por desarrollarlos mejor, duplicados, triplicados y, por qué no, quintuplicados cuando me vaya de esta tierra y tenga que responder por mi capacidad para haber amado, dejado huella y haber sido feliz, las tres grandes metas que todos los seres humanos tenemos, o los tres grandes desafíos que tenemos al llegar a esta tierra.

Por lo tanto, la orientación vocacional tiene y debe estar enfocada a la búsqueda de sueños y no de carreras. La carrera está al servicio de ese sueño y, por lo tanto, tengo muchas que pueden responder a ese gran desafío.

Tenemos que dejar de presionar a nuestros adolescentes. Ya no existe –gracias a Dios– la angustia por las doce grandes carreras importantes, como era en mi generación. Creo que hoy día hay un matiz distinto, hay muchas ofertas y en diferentes ámbitos; la educación particular ha ayudado mucho a la diversidad y al entendimiento de que las carreras pueden partir de una forma y terminar de otra. Todas las reformulaciones en la estructura de las mallas curriculares sin duda alguna han sido un aporte. Hoy, un alumno de física puede tomar un ramo de psicología si es que le parece importante para su crecimiento personal. Así estamos logrando cada día adultos más integrados y más completos, desde el punto de vista afectivo y emocional.

Esto lleva al gran desafío de 3º y 4º Medio (aquí en Chile, es equivalente cuando los niños tienen entre diecisiete y dieciocho años y están prestos a salir de la Enseñanza Secundaria para entrar al mundo universitario, técnico o profesional). En esta etapa debiéramos disminuir la presión por la excelencia académica. Los adolescentes necesitan calma para buscar dentro de sí todas las luces; requieren estar tranquilos para esforzarse en el desarrollo de la fuerza de la voluntad, que es la única fuerza que los va a llevar donde ellos quieran para conseguir todos sus sueños.

Hay que bajar la presión de la PSU (prueba de ingreso a la universidad), porque muchas veces alteramos el rendimiento académico del año escolar que se vive. Los adolescentes pierden la concentración y la memoria; toda la presión está puesta en este gran desafío, que es cómo probarle al mundo que ellos son capaces, que son inteligentes. Es como si de pronto se jugaran la vida completa en una prueba de unas horas, la que solamente mide habilidades, entrenamiento y no necesariamente la historia curricular.

Ya fue dicho en otra parte del libro que la PSU no es un indicador predictivo ni de éxito universitario ni profesional y mucho menos es un factor predictivo con respecto al éxito laboral y a la felicidad familiar a través de la vida adulta. Simplemente es un dato que a larga nadie pregunta y que nosotros los adultos lo hemos transformado en una presión absurda.

Si a un hijo le fuera mal en la PSU y no lograra conseguir su sueño, tendrá que prepararse de nuevo, trabajar durante ese año, entrenarse en algún preuniversitario, si es que se puede pagar, y si no, hay muchas vías en Internet que lo están haciendo casi en forma gratuita. Sin embargo, como decía, también puede trabajar y tener algunos ingresos que le permitan valorar la vida en forma adulta, adquirir la madurez necesaria y empezar a encauzar su vida de una manera más certera. También puede hacer un año de servicio, como muchos colegios lo tienen; después de 4º Medio es una alternativa maravillosa también para madurar, para poder encontrar el camino, para poder saber qué es lo que quiero.

No necesariamente alguien a los diecisiete o

dieciocho años tiene la obligación de tener claridad en cuáles son sus sueños y en qué carrera puede desarrollar todos sus talentos. El tema es la calma, el esfuerzo, el desarrollo de la voluntad; es la búsqueda interna y no externa. No es una búsqueda a través de tests, que si bien pueden ser una ayuda, no son toda la respuesta que ellos necesitan. Es vital mucha conversación con los padres; tener también claro cuáles son los medios con los que mis padres cuentan, con el fin de yo pueda hacerlos rendir de la mejor manera posible y no pedir o buscar cosas que en ese momento puedan ser inalcanzables.

A lo único que un adolescente entre quince y dieciocho años no puede renunciar nunca es a los sueños y al cumplimiento de éstos a lo largo de su vida. Yo siempre utilizo como ejemplo al humorista Coco Legrand, gran amigo mío, a quien le tengo mucho cariño, que no pudo estudiar ni hacer lo que él quería cuando salió del colegio. Su madre se lo prohibió. Él estudió Diseño Gráfico, y después de tener el título pudo dedicarse a lo que él de verdad soñaba. Y hoy todo su desarrollo profesional y universitario le sirve como metodología, como sistema de orientación, incluso para hacer las propias escenografías y mirar sus espectáculos de una manera muy distinta.

Otro caso es el del Padre Alberto Hurtado, un santo chileno, que empezó a desarrollar recién su sueño alrededor de los 40 años, después de que dejó educada a toda su familia, a todos sus hermanos. Él tuvo que estudiar Leyes para poder, después de la quiebra del fundo de su padre, defender y proteger a su madre y a sus hijos. Tras terminar esa misión, pudo cumplir los sueños que tenía. Y así hay muchos ejemplos. Muchos adolescentes me dicen: "Mis papás no quieren que yo estudie esto". Entonces yo les señalo: "Bueno, no importa, estudia o fórmate de acuerdo con lo que tus papás piensan que es mejor para ti y después, cuando tú ya tengas ingresos, tienes la obligación y el absoluto derecho de poder encauzar tu vida hacia los sueños que tú siempre quisiste". Cuando uno trabaja en el cumplimiento de los sueños, a la larga siempre en la vida se tiene éxito si eso se asocia al esfuerzo, al trabajo y a la constancia.

Otro tema que vamos a desarrollar dentro de este capítulo es lo que tiene que ver con la formación de parejas. El aprender a compartir con el otro género, el conocer cómo funcionan hombres y mujeres en forma distinta. El poder asociar el amor al buen trato, al respeto, al cariño, a la solidaridad y no al dolor, como lo tenemos asociado la mujer latinoamericana; es decir, que mientras más sufro por ti, más te pruebo que te amo. Y cómo se incorpora esta nueva formación de pareja a la familia, a los hermanos, al sentarse en la mesa con el novio, con la novia. De cómo van apareciendo los primeros indicios de erotismo, de sensualidad, las primeras tocaciones sexuales para poder explorar cómo funciona nuestro cuerpo y empezar a conocer estas nuevas sensaciones desconocidas hasta este momento.

Hay que entender también que el amor hace bien; por lo tanto, si una pareja está conformando una buena relación, debiera necesariamente tener mejores notas que antes de haberse enamorado. Debiera llevarse mejor con la familia, con los hermanos; debiera poder compartir más en grupo y no permanentemente estar solos los dos, pero también, por supuesto, darse tiempo para su intimidad y aprender a conocer al otro y, en ese mismo reflejo, a mí mismo. Claramente es una de las etapas más lindas y si se vive con pureza, con mucha comunicación, con decoro y pudor; es un proceso en el que si no se avanza en lo sexual –que es lo que no debiera ocurrir–, puede haber un pleno y absoluto conocimiento del otro para saber de verdad con quién me estoy encontrando.

Yo siempre les digo a los adolescentes que se visualicen a sí mismos como una rosa y que a cada persona con la que estén le entreguen un pétalo. Les digo que ojalá que cuando llegue la persona definitiva en la vida, tengan algo que dar, y no hayan entregado todos los pétalos y conserven solamente un tallo vacío para poderle ofrecerle al otro. Eso tiene que ver con el cuidado, con este regalo de la virginidad; tiene que ver con el regalo del pudor, con el autocuidado en la mujer y también en el hombre.

Ése es el gran desafío entre los quince y los dieciocho. Poder formar parejas estables, pero ojalá sin vida sexual; tener una orientación espiritual que permita trascender todo lo que hagan, incluso esta misma búsqueda de los sueños. Poder de una u otra manera terminar la moratoria o período intermedio de valores establecidos (como decía anteriormente por Erickson) para consolidar valores sólidos que retomen los que me enseñaron mis padres o los cambie si es que éstos fueron inadecuados y pueda yo definir mi propia pauta valórica con una moral autónoma, basada en las intenciones y no en las consecuencias de los actos.

Otro desafío importante, por supuesto en esta edad, es el desarrollo de los sueños y de la carrera, la búsqueda profesional que me va a permitir reorientarme como adulto el resto de mi vida. Y también la conexión de mi mundo hacia afuera; el poder tener una actividad social que me permita salir de mí mismo, que me deje entender el valor de los otros. Todo eso que yo decía que un niño entre los trece y los quince tiene que aprender de las diversidades sociales, sexuales y grupales, ya entre los quince y los dieciocho años tiene que estar internamente consolidado en los valores de la tolerancia, del respeto, de la capacidad de escuchar otras realidades para poder afianzar en esta edad a un mini ser humano completo, con muchas habilidades, que sepa manejarse dentro de la vida.

Siempre señalo que un adolescente antes de los dieciocho ya debiera saber cocinar por lo menos cinco platos bien hechos, realizar el aseo perfecto de su casa, tener su clóset ordenado, cuidar las cosas que le pertenecen y no perderlas, saber dónde se pagan las cuentas, cómo se hace un cheque, qué operaciones bancarias hay realizar, cómo se maneja un auto, inscribirse en los registros electorales cuando ya cumpla 18, sacar licencia de conducir, etc. Es decir, entender que uno tiene derechos en la vida, pero también, y por sobre todas las cosas, tenemos deberes, y que al cumplirlos no nos produzca una sensación de lata gigantesca, sino que al revés, una sensación de íntimo placer de estar haciendo lo correcto.

Al llegar a los dieciocho años, ya debieran estar consolidadas todas esas responsabilidades cívicas, vocacionales y de pareja, independiente de que pueda explorar distintas parejas para conocerme a mí mismo y conocer mejor al otro género. Debiera también tener tolerancia, aceptación frente a la diversidad en todo orden de cosas, ya sea por discapacidad, por raza, color, nivel socioeconómico, condición sexual, etc. Sólo así voy a tener a este mini ser humano formado con un temple firme frente a las frustraciones, entendiendo y experimentando muchas de ellas y habiendo rescatado todos los aprendizajes que de alguna u otra forma las experiencias de dolor siempre nos traen.

Aquí terminamos la etapa de mini formación. Yo diría que hasta acá los papás podemos hacer muchas cosas por formar, por modelar, por cambiar, por orientar, por criticar. Después, de aquí en adelante, vamos a empezar a recibir los frutos de cuán bien o mal lo hicimos con nuestros hijos.

DE 18 A 24 AÑOS
sueños

De los dieciocho a los veinticuatro años es una etapa en que yo como papá empiezo a darme cuenta de si mi hijo tiene temple, si fue capaz de mantener sus sueños, si se maneja frente a las frustraciones laborales o universitarias, si afrontó con hidalguía y con mucha dignidad su primer "fracaso" o aprendizaje de una mala PSU, y cómo enfrentó esa situación. También cómo afrontó sus relaciones de pareja ahora más estable, por más tiempo, con personas más adecuadas, donde ya los errores del pasado tienen que pasar a ser aprendizajes del presente. Y, por lo tanto, ser capaz de consolidar relaciones basadas en el respeto, en un amor que hace bien, que no daña, que no provoca dolor, que simplemente hace crecer, y así se empieza a entender un concepto que es clave: el amor es mucho más que una emoción o sentimiento; es una decisión que yo tomo con el otro y que recién a esta edad uno debiera tener orientada.

Yo que me casé a los veintidós años, y no tenía claro ese factor anterior. No entendí en términos internos y de madurez que el amor era además una decisión. Estaba absolutamente centrada en el sentimiento y eso, diez años más tarde, provocó una separación matrimonial, muy mal manejada además por mí, producto del golpe de haber entendido algo que debiera haber sido capaz de incorporar en este ciclo de edad.

Y así entramos en la etapa de los dieciocho a los veinticuatro años, la etapa de la carrera universitaria o superior, de la carrera técnica, de buscar un trabajo para ayudar a la familia. Aquí los elementos clave son no desertar, no cambiar, poder de alguna manera mantenernos dentro de una ruta estable. Hay que saber manejar juntos el esfuerzo con los problemas emocionales; por ejemplo, si tengo pena, igual tengo que estudiar para la prueba que viene. También hay que tolerar los primeros fracasos emocionales y académicos; poder quizás permitirse algún cambio de carrera, pero nunca más de uno y con razones absolutamente fundamentadas frente a los padres, en forma madura y responsable. Poder restablecer relaciones con los padres un poco más maduras, con límites claros, con horarios establecidos y con el respeto a las normas de la casa en la cual se vive. Mientras se viva en la casa de los padres, los adolescentes o adultos jóvenes, ya a los veinticuatro años, igual tienen la obligación de respetar las reglas que los padres establecen para su comodidad. De otra forma, ese hijo tiene que hacerse cargo de su vida económica y poder vivir de acuerdo con las reglas que él mismo defina en la más absoluta independencia. Para ser libre, hay que ser responsable primero. Y por lo tanto, hay que adecuarse a las reglas de la casa en la cual se ha crecido.

También es importante que este joven, entre dieciocho y veinticuatro años, busque redes anexas de ayuda, relaciones que de alguna manera le permitan establecer formas de estudio y grupos de solidaridad que lo hagan salirse de sí mismo, "incendiarse" por dentro, para que ese "incendio" pueda ayudar y beneficiar a otros a su alrededor.

Las relaciones de pareja ya parecen más estables, más maduras, y probablemente, y en forma también inadecuada, aparecen las primeras convivencias, donde muchas veces suponen que con el convivir van a poder "probar" cuán bien se pueden llevar en un futuro matrimonio, lo cual no necesariamente es así.

Ahora, si las personas no creen en el matrimonio, a mí me parece bien que ya a los veinticuatro años se empiece a hablar de poder compartir la vida juntos. Lo ideal es que eso sea bajo un compromiso seguro, donde una firma no le quite importancia, ni le dé más al vínculo del amor y a la decisión de compartir la vida. Donde, además, estas convivencias sean financiadas por ellos mismos y no por sus padres, porque muchas veces ocurre que los padres ayudan económicamente a sus hijos, con lo cual les hacen el "flaco favor" de hacerlos cada vez más débiles y dependientes de las decisiones o de las opiniones de estos mismos padres, quienes empiezan sin querer a entrometerse y a entrar en el mundo y en la realidad emocional de esta pareja joven. Ojalá que inicien esta vida juntos desde la nada para que puedan sentir la satisfacción y el comienzo de todo.

También hay una generación en esta edad, un grupo gigantesco, que trabaja y estudia, que tiene la posibilidad de compartir el mundo laboral y el estudio. El único riesgo de esto es el gustito que uno puede ir adquiriendo por el dinero y, por lo tanto, ir dejando el estudio un poco de lado. Siempre el sueldo tiene que ayudar a consolidar la carrera universitaria. Y si no se pueden hacer ambas cosas, se trabaja durante un tiempo, para después estudiar y adquirir una profesión, ya sea técnica o universitaria, porque esto es clave en el éxito de la vida. La gente que sólo sale de 4º Medio con una PSU rendida y después no sigue estudiando tiene escasas posibilidades de triunfar. Y si no tiene una PSU, porque está en otro país, pero salió de la secundaria sin un título, tiene también muy pocas posibilidades de obtener un buen sueldo que le permita cubrir todas sus necesidades a lo largo de la vida y de formar una familia.

Poseer una carrera universitaria o técnica es clave en el desarrollo de la individualidad, del crecimiento humano y de la globalización que hoy la vida va permitiendo.

Éstos son los aspectos más relevantes entre los dieciocho y los veinticuatro años que hay que desarrollar, y que tenemos que fomentar como papás. Hay que mantener a los jóvenes en el esfuerzo, en la convivencia familiar, porque aunque estén grandes, se deben sentar a la mesa y visitar a sus abuelos; tienen que colaborar con los hermanos menores, deben participar de la comunicación con sus padres y también preocuparse por ellos. Aunque estén grandes, tienen que avisar y de alguna manera pedir permiso para ciertas cosas que puedan transgredir los códigos valóricos de sus padres. Aunque estén grandes, deben tener la humildad de entender que igual siguen dependiendo emocional y económicamente de la autoridad de los papás y que, por lo tanto, a ellos siempre les deben agradecimiento y respeto.

Y, sobre todo, estos jóvenes tienen que ir valorando ya los primeros grandes dolores en la vida, ya sea por pérdidas, por partidas, por muertes o por desilusiones amorosas, académicas o profesionales. Tienen que visualizar cómo de alguna manera todos esos pequeños traspiés en la vida van a generar la tremenda maravilla de ir consolidando temples fuertes, personas sólidas, que de una u otra forma se van a hacer grandes y potentes adultos que de verdad van a aportar a la sociedad.

Tratar de darles como padres a nuestros hijos todas las comodidades para que ellos se desarrollen de la mejor forma posible quizás no ser la receta ideal. Parece ser que ellos tienen que partir desde abajo y saber lo que cuestan las cosas. A lo mejor darles todo genera a la larga niños cómodos, sin capacidad para incentivarse, con poco *punch*, con poca hambre de vida, donde ellos se van desencantando de las cosas, porque van sintiendo que nada les llena, que todo les aburre, que a la primera dificultad lo único que quieren es arrancar, que a la primera frustración piensan que se equivocaron de carrera, que porque no les gusta un ramo no es la carrera adecuada, etc. Creo que todas esas cosas son las que hay que revisar entre los dieciocho y los veinticuatro años.

También hay que buscar la consolidación de una adultez formada en parejas sólidas, estables, permanentes, basadas en el respeto, en la comunión y en el diálogo abierto. Formar jóvenes que participen de redes sociales, que cultiven códigos éticos serios; que sean hombres y mujeres de respeto, que estén dispuestos a aportar −como la gran mayoría de los adolescentes chilenos− a que este país todos los días sea mejor y que crezca cada vez más hacia un destino próspero. Que ellos, ya como adultos, vayan reemplazando a los que ya tenemos más años, pero siempre basados en este código de la escasez, de valorar lo poco, de agradecer cuando se dan las cosas, de preguntar en el trabajo "¿en qué puedo colaborar yo?" y no solamente esperar los beneficios o los derechos que tengo como empleado al entrar a una empresa determinada. Todas esas cosas a la larga son claves y predeterminan el éxito o el fracaso de este ciclo de la vida.

DE 24 A 30 AÑOS
consolidación de la adultez

Podríamos decir que de los veinticuatro a los treinta años es la etapa de la consolidación de la adultez. Ya existe compromiso, hay vínculos permanentes, la gente está buscando valores sólidos, cierta estabilidad en el tiempo, la formación de un proyecto de un NOSOTROS en vez de un YO y un TÚ en forma separada. Nos encontramos con una generación incómoda por querer lograr cosas desde el alma y no solamente por buscar lo material.

Pero algo pasa cuando alcanzamos esta etapa, porque si hemos leído todas las edades anteriores, quizás podamos concluir que esta generación no llega muy bien preparada interiormente para enfrentar una vida de adultos. Ya no debieran ser llamados adolescentes, sino adultos jóvenes. Sin embargo, prefiero denominarlos adolescentes tardíos, porque es una generación en la cual muchos de ellos se han cambiado de carrera, han establecido relaciones de pareja y compromisos absolutamente esporádicos o basados en criterios bastantes egoístas, donde comparten algunas cosas juntos, pero tienen un exceso de respeto de los mundos privados.

Muchas veces, de una u otra forma, a estos adultos jóvenes se les ha enseñado que el éxito laboral es claramente lo más importante. Se empieza a producir un existismo preocupante y se transforman en eternos estudiantes: personas que salen de la universidad y hacen un posgrado tras otro, un MBA tras otro, y nunca empiezan a trabajar. Una generación que no quiere casarse y que posterga lo más posible la formación estable de una pareja y el inicio de la maternidad.

El mayor bienestar lo logran con la obtención de cosas, como un departamento o apartamento, un carro o un auto y un cuerpo perfecto, donde todo se engloba a base de un fenómeno que se podría llamar exitista. Hay que tenerlo todo perfecto: el cuerpo, el trabajo, ojalá el novio o la novia; quieren tener muy buen sueldo, ojalá con poco trabajo, practicar harto deporte y conseguir que los logros económicos sean lo más trascendente e importante.

¿Qué pasa con esta generación? ¿Qué sucede en realidad en el alma de esta gente que ha ido perdiendo el sentido, que ha ido postergando su inicio a la vida, porque no quiere cometer riesgos? Y ahí hay un límite que a mí me parece peligroso, entre parecer o mostrarse híper responsable para tomar decisiones, pero al mismo tiempo limitar con el egoísmo, con la sensación de no querer equivocarse.

Ahora, esto que le ocurre a esta generación, los adultos, nuestros padres, nuestros abuelos son absolutamente responsables. Quizás por no mostrar, como decía anteriormente, mundos adultos felices, comprometidos, donde las parejas que sean felices digan que lo son, que de verdad se muestre el amor como un concepto entretenido, apasionado, entregado, jugado por entero.

En esta generación, el goce es primordial en el fondo. Se dice una y otra vez que si yo no lo estoy pasando bien, debiera terminar. Aprender con el otro de los sufrimientos es algo que hoy día es visto como algo loco, descerebrado, y se predica: "¿Para qué vas a estar con alguien si en este minuto no lo estás pasando bien?". El amor no es sólo felicidad, pero tampoco, por supuesto, se debe mantener una relación que sólo produce un costo de sufrimiento. El amor no está hecho para producir daño, pero si me toca enfrentar dificultades, porque el otro no siempre va a ser perfecto, porque siempre el otro va a tener algún tipo de característica que a mí no me llene, ¡no puedo por eso romper una relación si es que yo siento que lo amo, porque no voy a encontrar a nadie perfecto! Creo que aprender a vivir en la imperfección y a aceptar que las cosas no son como uno quisiera es algo clave que a esta generación le cuesta mucho entender.

He tenido grupos de trabajo, de personas cercanas a los treinta años, que son verdaderos viejos del alma, porque han experimentado todo tipo de vivencias en la juventud, conocieron todas las experiencias sexuales posibles, tuvieron acceso económico a todo lo que quisieron, pero son pasivos, no poseen sueños, están cansados de la vida que tienen y cuando llegan a sus departamentos, preciosamente decorados, se sienten solos y tristes; quisieran otra cosa, pero también son incapaces de saber dónde encontrar a la pareja o a la persona adecuada. Nos encontramos con mujeres que trabajan todo el día, que tienen *happy hour* con sus amigas o van al gimnasio y llegan a su casa con la sensación de no saber dónde están los hombres que se quieren comprometer. Y por otro lado, hombres que hacen exactamente lo mismo y que tienen la misma sensación de soledad.

Hoy está ocurriendo un fenómeno de género que en el libro *Viva la Diferencia* yo lo llamé masculinización de la mujer y que ha ido produciendo que sean hombres los que llegan a mi consulta explicando que se quieren casar o que quieren formalizar una relación, y mujeres que solamente quieren sexo esporádico o relaciones alternativas, de muy corto plazo para poder mantener su sensación de autonomía. Dicen que no necesitan a los hombres, cosa que por supuesto no es cierto. Tenemos también hombres que se han acostumbrado a salir o a viajar con amigos, con alguna amiga ocasional y que claramente tampoco quieren comprometerse. Estas personas pueden vivir solas, que es una de las alternativas posibles, o si no formar parte de alguno de los grupos de adultos jóvenes llamados la *Generación Canguro* o la *Generación Boomerang*. La *Generación Canguro* es la que nunca ha salido de su casa, la que vive los privilegios de los casados y los beneficios de los solteros. La que tiene ropa lavada y comida caliente, porque además sus papás le dicen que para qué se va a ir si está cómoda en la casa. Tiene al novio o a la novia afuera, el sueldo en el banco y claramente no están pagando ningún costo por nada. A esa generación le cuesta mucho empezar a vivir. Posterga al máximo la maternidad, con el peligro de que nunca se pueda producir, por la baja de ovulación natural en la mujer a medida que la edad aumenta.

La otra es la *Generación Boomerang* que es la que se va en algún momento de la casa, con mucha necesidad de autonomía y de independencia, pero que por algún fracaso, ya sea económico o emocional, vuelven al lado de sus padres y cuesta mucho volverlos a sacar, porque además se encuentran con papás más viejos y probablemente sienten que los tienen que cuidar y hacerse responsables de ellos. Eso dificulta que vuelvan a vivir sus vidas y ser independientes.

Yo creo que ésta es una generación en riesgo; es una generación que tiene muchos cambios laborales, porque si antes era un valor empezar en una empresa y jubilar en la misma, hoy eso es un signo de falta de adaptación a los cambios, de poca flexibilidad e incluso me atrevería a decir que los que se quedan en un solo lugar pueden ser evaluados como "escasos en habilidades de liderazgo". Hoy es muy bien visto la capacidad de cambiarse de trabajo, con razones que a veces francamente son irrisorias.

Recuerdo a un ingeniero que trabajaba en una minera y que renunció porque no le construyeron una cancha de tenis arriba en la cordillera, cerca del lugar donde trabajaba. Él tenía que bajar a la ciudad más cercana para poder jugar y sólo los sábados; a él entonces le provocaba estrés manejar durante una hora y media para llegar a este lugar a jugar tenis. Según él, no estaba educado para eso, porque tenía un MBA.

Ésa es una de las razones que dan muchos ejecutivos jóvenes para poder renunciar o cambiarse de trabajo, basados fundamentalmente en lo que he dicho a lo largo de todo el libro: que estamos en una sociedad que se preocupa más de sus derechos que de sus deberes.

Es impresionante escuchar a los psicólogos laborales. Me han contado que en realidad las personas que postulan a un trabajo llegan preguntando cuántos días de vacaciones van a tener, si hay algún bono a final de año, con qué beneficios cuentan dentro de la empresa, etc., y muy pocos preguntan: "¿En qué crees tú que yo pueda aportar a esta empresa?". El tema es cuánto gano y no cuánto doy para que todo lo que me circunda alrededor crezca; en eso también incluyo al mundo emocional. Todo está focalizado, por ejemplo, en cuánto me hace feliz mi pareja y no en qué estoy haciendo yo para que esta pareja pueda ser feliz conmigo.

Creo también que hay una tendencia a evadir todo lo que tenga que ver con pagar algún costo. Lo que se quiere mayoritariamente en esta edad son ganancias. Tratar de tener los mejores sueldos, las menos horas de trabajo, el mejor cuerpo, con los menores costos de gimnasio. Tratar de tener la mejor pareja, sin que ella demande o exija grandes cosas. Poder estudiar eternamente, quizás como un afán de escapar y encubrir un miedo a este mundo adulto que va a empezar a exigir responsabilidades; por eso es más cómodo mantenerse en el mundo estudiantil.

Siempre me pregunto cuando trabajo con grupos de personas entre los veinticuatro y treinta años: "¿Qué están esperando para empezar a vivir?". Los grandes negocios de la vida son todos malos negocios, son todos poco rentables, son puros gastos emocionales o físicos, pero son los que nos hacen desplegarnos a favor de un sueño. Son los que nos permiten salirnos de nosotros para entrar en otros, son los que nos dejan crecer como seres humanos, los que nos hacen ceder a cosas y aceptar realidades que nos pueden hacer sufrir incluso, pero al mismo tiempo crecer una enormidad.

Ésta es una edad donde nos invitan a la adultez, al compromiso, a poder de verdad formar familia, a no postergar los hijos, porque a los treinta o cuarenta años ya uno debiera estar en una etapa de madurez y de crecimiento distinta; debiéramos estar viendo crecer a nuestros hijos y no sentir que ellos después, como me dicen muchos, consideran que tienen abuelos en vez de padres. Además, la brecha generacional se hace cada vez más grande, porque tecnológicamente, en términos de madurez y de experiencias de vida, padres e hijos se ven o se sienten demasiado distantes.

Creo que la vida hay que vivirla en las etapas que corresponde hacerlo. Cuando una relación está empezando tiene un ciclo: de un conocerse se pasa a un pololeo, y no a "un andar", a un "amigo con ventaja" o a un "amigo con *cover*", que a la larga claramente no deja nada en el alma. Después de ese pololeo, hay una etapa que se puede formalizar como noviazgo o no necesariamente, pero se siente que se avanza, que hay un paso. Y en eso hay un *timing* para cada

una de las relaciones, donde si uno siente que si
pasa ese *timing*, la relación termina por deterio-
rarse, por desgastarse o por cansarse uno de los
dos en la espera de que el otro tome o no las decisiones que tiene que escoger. Después de eso,
está la consolidación de una convivencia o, en
mis códigos valóricos, de un matrimonio, donde
se trata de formalizar esto en beneficio ojalá de
la llegada de los hijos.

Esa estructura social de vivir con otro, de
compartir la vida de a dos, de formar un nosotros, es hasta el momento la mejor fórmula que
se ha inventado para poder ser feliz en la vida.
Nadie es feliz solo, aunque pueda estar cómodo –que no es lo mismo–, aunque pueda estar
contento y sin vivir riesgos, aunque incluso lo
envidien los casados, porque puede viajar a don-
dequiera, porque no tiene que pedirle "permiso"
a nadie. La persona que está sola no es feliz, a
pesar de que no enfrente ninguno de los costos
que viven sus amigos con hijos o con parejas con
conflictos.

El problema es que vivimos en una sociedad
donde todo lo que se sabe es lo malo, porque lo

bueno pareciera que ocurre en silencio, de esta forma nos vamos quedando con un nivel de información que es peligroso, porque es solamente negativo. Eso provoca que esta generación, entre los veinticuatro y los treinta años, tenga mucho temor a comprometerse en la vida, porque todo lo que escucha y todo lo que ve son sólo desastres. Por lo tanto, el tema de poder arriesgarse está corriendo cada vez más riesgo.

Ahora, yo creo que hay personas que pueden optar por una vida de soltería, pero pienso que es una opción que se toma después de un dolor, de un período difícil, donde yo me acostumbré a estar solo y que me genera, después de un tiempo, incomodidad compartir la vida con otro, porque ya tengo mi clóset lleno, por ejemplo, y sería, por lo tanto, un lío que llegara otra persona a modificar mi sistema de vida. Además, voy volviéndome vieja y, por consiguiente, voy teniendo mañas o hábitos que a la larga hacen que sea difícil estar en pareja. Pero no creo que una persona en plena facultad de su felicidad, sin haber sido dañada, sin haberse acomodado a este estado de soledad, elija por sí sola la opción de quedarse sola. Creo que eso siempre va a ser fruto de una experiencia de dolor que esa persona experimentó o que vio vivir en otros muy cercanos y que la marcaron de por vida. Pienso que la convivencia, el estar con otros, el poder generar una vida que deje huellas, que no sea seca, es algo que todos los seres humanos necesitamos.

Yo decía a la mitad del libro que veníamos a esta tierra a tres cosas: a aprender a amar, a dejar huella y a ser felices. Evidentemente que eso uno lo puede realizar solo y hay mucha gente que lo hace, como los que tienen vida religiosa, pero ellos no están solos, ellos se casaron con Dios. Hay gente viuda que nunca vuelve a rehacer su vida por opción personal, porque tiene la aspiración y el sueño de reencontrarse con su amor cuando pueda partir. Hay personas que se quedan solas porque el otro se fue de viaje y se distanciaron y después eso generó el hábito y la costumbre de no querer compartir la vida con nadie más, producto de la frustración de no haber podido consolidar un proyecto. Sin embargo, vuelvo a repetir, creo que la fórmula perfecta para poder cumplir estas tres grandes metas o desafíos que vinimos a hacer a esta tierra es con otro al lado, sin lugar a dudas.

Creo también que esta generación entre los veinticuatro y los treinta años tiene la responsabilidad social de empezar a vivir. De ellos dependen las tasas de natalidad de este país. Tienen la obligación de empezar a mostrar una alternativa de proyecto de vida adulto, civilizado, entregado, alegre, generoso también, que aporte de verdad a la sociedad y que no esté centrado en él mismo.

A mí me ha llamado la atención en algunos grupos de trabajo de las generaciones entre veinticuatro y treinta años que castigan, ridiculizan o retan a parejas que se quieren casar jóvenes, a parejas que desean tener hijos pronto, a mujeres que piensan ser madres. Las hacen sentir ridículas, anticuadas, y les dicen: "¿Para qué se van a arriesgar?, ¿cuál es la idea de vivir una situación así si están tan cómodas?". El tema de la comodidad, de la no frustración, de que vivir feliz es estar siempre contento, de que la vida tiene que ser entretenida y, por lo tanto, cualquier cosa que atente contra ese entretenimiento hay que cortarlo tiene que ser resuelto.

Me ha tocado ver en grupos de mujeres y de hombres que cuando alguno de ellos cuenta que tiene alguna dificultad con una pareja que ama, todo el grupo le dice que termine la relación, que para qué seguir en eso. Estar en pareja es para pasarlo bien; si no, es mejor terminar. Entonces, yo me pregunto: cuándo esas personas van a ser capaces de establecer relaciones a largo plazo, cuándo van a aprender a perdonar para construir una relación que dure toda la vida, cuándo van a decidir estar con otro, a pesar del que el otro ocasionalmente pueda provocarles algún dolor. Ellos también son generadores de dolor en algún momento. Nadie puede pasar por la vida sin producirle daño a otro. Y, sin embargo, sí se pueden construir vínculos para toda la vida y un amor permanente.

Todos los que están leyendo este libro saben que soy una mujer separada, que pude rehacer mi vida después de mucho dolor y que experimenté de nuevo la soledad producto de la partida del hombre más maravilloso de este planeta; sin embargo, sigo creyendo –no para mí pero, sí para otros– en la vida de pareja, en el matrimonio consolidado, en la familia, que es la unidad social más importante que todos debemos resucitar para quitar tantos de los males que he descrito en este libro y tantas de las experiencias de soledad que nuestros hijos están viviendo, justamente por el mal testimonio de esta concepción de familia que les hemos empezado a dar.

Quiero invitar a los jóvenes, entre los veinticuatro y los treinta años, a que se arriesguen a vivir solos, a que sepan cuánto cuestan las cosas, a que empiecen de cero; ojalá lleguen a un espacio vacío y lo vayan llenado de a poco, y no esperen tener una lista de regalos de novio para poder casarse o un préstamo para el departamento. Creo que comenzar de la nada siempre hace bien; el valor del esfuerzo es algo que a larga construye una relación mucho más sólida.

Traten de no pasar tanto tiempo con sus padres, pero sí de ir a verlos en forma frecuente. No lleguen –sobre todo los recién casados– un fin de semana a la casa de una familia y el otro fin de semana a la casa de la otra, porque con eso no se está construyendo un NOSOTROS.

Se debe tratar de no pedir la ayuda de los adul-

tos mayores, para que puedan ir solos viendo los
logros de sus propios esfuerzos y no depender
del cariño o la buena voluntad de sus padres, que
erróneamente quieren "facilitarles la vida".

Aquí termina el camino, en este precipicio
donde uno puede arriesgarse o no a ser adulto,
en que uno puede atreverse o no a construir una
vida propia. Los padres pueden haber hecho las
cosas bien o mal, o no haberlas hecho, pero el
tema es que en algún momento uno tiene que
hacerse responsable por la vida que tiene y desarrollar un proyecto de vida adulto, responsable, enfocado en otro, no en mí mismo, para poder lograr la plena felicidad.

Y ser feliz es una decisión que yo tomo todos
los días, que no depende de las condiciones de
vida que tenga, sino de la actitud con la cual en-
frento los problemas. La felicidad es eso: decidir
ser feliz. Y debo involucrar en ese concepto de
felicidad el sentido de la vida, el que las cosas se
hacen para algo, el que nadie puede ser feliz si
no es agradecido, el que nadie puede ser feliz si
no aprende a estar centrado en lo que tenemos
y no en las cosas que nos faltan.

Si logramos valorar a la familia como una unidad social fundamental, si volvemos a sentarnos a la mesa, si apagamos los televisores mientras comemos, si nos hacemos cariños, si nos decimos que nos queremos, si no molestamos al hombre que es capaz de reconocer que ama a su mujer, o al niño que demuestra que quiere a sus padres, o a aquella mujer que dice que ama públicamente al hombre con el que está, creo que sólo así nos vamos a ir convirtiendo paulatinamente en un mejor grupo social, en un grupo de personas que defiende la unidad de la familia, que protege las raíces, que resguarda a los pueblos indígenas. Un país no puede olvidarse de dónde surge, un niño no puede olvidarse de dónde viene, un hijo no puede dejar de ir a ver a sus padres porque llegó a tener mejor estatus económico que ellos, ya que adquirió a los treinta años un bien raíz y su padre recién lo pudo hacer a los cincuenta.

Cuando una familia logra valorar los dolores como procesos de aprendizaje, entonces todos nos transformamos en mejores personas, todos crecemos, todos somos protagonistas de un destino. Así podremos cambiar al país, modificarle la vida al que está al lado, hacernos responsables de nuestros errores y de nuestros aciertos. Y quizás entonces este libro tendría que cambiar de nombre y llamarse *Yo quiero crecer, yo quiero cambiar el mundo*. Ojalá que escuchemos a muchos niños después de leer este libro diciendo esas frases y no repitiendo: "No quiero crecer... para qué, si no veo a adultos felices, si no gozan con sus trabajos, si el adulto fracasa en sus relaciones emocionales".

Los niños se ven como una generación dolida producto de las decisiones egoístas y muchas veces apresuradas de los mismos padres. ¿Para qué crecer?, ¿para enfermarnos como nos estamos enfermando? Si yo voy a Buenos Aires, lo que más resalta son los cafés. En Chile, lamentablemente, tengo que reconocer que lo que más resalta son las farmacias. Hay una tasa en nuestro país que tiene que ver con la salud, con estar enfermándonos por tomar decisiones equivocadas, vidas que están basadas en el tener y no en el ser, porque *no hemos entendido que la palabra ser tiene menos letras que la palabra aparentar*.

Nos falta una identidad de país para que podamos darles un testimonio a los niños de que ser adulto vale la pena, de que la vida vale la pena, porque a pesar de todos los dolores, la vida es una experiencia de amor y de felicidad. Hay que enseñarles a nuestros hijos que vale la pena sonreír, que vale la pena entregar lo mejor de sí mismos todos los días, porque de esa manera ellos van a tener ganas de copiarnos. Ellos no se quedan con lo que uno les dice: si fuera así, mis hijos serían perfectos. Ellos se quedan con lo que uno hace y ahí están nuestras inconsistencias, nuestros errores en el testimonio, porque decimos algo y no lo cumplimos. Transmitimos sólo lo negativo: no se lo digo a nadie si me llamaron de un buen trabajo, porque eso se puede esfumar o dispersar la energía. Si estoy recién saliendo con alguien tampoco, porque en realidad puede producirse una frustración. Si quedé recientemente embarazada, no voy a decir nada hasta que la guagua o el bebé no esté "afirmado" en mi útero, para que así nadie sufra. Entonces yo sólo cuento que perdí un hijo, que no me llamaron del trabajo, que la relación no funcionó, etc. Nosotros nos estamos transmitiendo todo el día las cosas que no funcionaron, no las que están saliendo bien.

Y claramente eso genera un grupo social poco alegre, con menos frecuencia de sonrisa, más mal educados, poco gentiles y muy metidos en el estrés de tratar de lograr cosas. Y en eso, a diferencia de Chile, países como Colombia, Ecuador, Guatemala, El Salvador o México nos dan una tremenda lección. Son sociedades o personas capaces de jugar o de pelear por sueños, alegres, dispuestos a sonreír y agradecer todo lo que van teniendo a lo largo del día; disfrutan lo que poseen, y son capaces de dar testimonio de felicidad matrimonial, de pareja y de alegría laboral.

Tenemos que llegar a la casa agotados en la noche, porque eso es un tremendo privilegio; significa que hoy día entregamos todo lo que teníamos para dar. Sería espantoso llegar "frescos como lechuga", porque eso significaría que hoy yo no le di nada a nadie. Debemos llegar cansados, pero el cansancio no puede ser sinónimo de mal genio. Debemos conversar, debemos disfrutar. Dejemos de dividirnos como sociedad; apartemos el concepto de que la mujer tiene que ser amante, esposa, trabajadora, madre, etc. Somos un solo ser humano integrado, que tiene la obligación y la responsabilidad de disfrutar de cada una de las etapas de la vida, de cada uno de los deberes y de los placeres. *De lo bueno se goza y de lo malo se aprende.*

Si así nos mostráramos ante los niños, les aseguro que este libro no tendría sentido o tendría que titularse, como ya dije, de otra manera. Quizás: *Yo quiero crecer... explíquenme cómo hacerlo.* Tal vez hubiera sido un muy buen título y a mí me hubiera gustado mucho ponerlo, pero dada la realidad que me toca ver todos los días en Chile y en el extranjero, el único título que sentí que tenía peso era *No quiero crecer.* Ojalá que al leerlo logremos entre todos cambiarle el nombre a este libro y conseguir una generación llena de entusiasmo, de propósitos, de sueños, de locura, que quiera cambiar el mundo como en un momento lo sintió la generación de los sesenta.

ADOLESCENTES "BACANES"

Gracias a Dios, también existen adolescentes "bacanes" y para que no quede la sensación de que todo lo que he mencionado en el libro tiene que ver con elementos negativos y críticos de la sociedad, quise dejar un capítulo especial dedicado a esos adolescentes maravillosos, que quizás son mayoría en este país, pero que se mantienen silenciosos porque no son noticia, porque paradójicamente hacen las cosas bien. Son adolescentes que tienen ciertas características que me gustaría mencionar para reforzar o premiar a los que las tienen y para los que están lejos de ellas que aprendan a buscarlas y a lo mejor transformarse en "bacanes" reales el día de mañana.

Ser "bacán" en términos cotidianos, en Chile significa ser osado, desinhibido, flojo, poco esforzado y sin capacidad para frenarse ante los impulsos. Son los jóvenes que hacen lo que quieren, que son irresponsables en lo sexual, en lo académico, en el lenguaje, con sus padres y con sus abuelos.

El perno o el *nerd*, como se llama en EE.UU., es un niño que en Chile es castigado por estudiar, por hacer lo correcto, por tratar de no salir a carretear si tiene demasiados exámenes en la semana; por no pololear o no tener novia a temprana edad porque está esperando a alguien especial. Ese niño que hace lo correcto es castigado socialmente. El niño que dice que ama a sus padres, por lo menos en este país, es llamado "mamón". Sé que en otros países no es así y que son felicitados, como en Guatemala o en Colombia, donde llaman "papi" o "mami" a sus padres con un afecto y un cariño que en Chile debiéramos aprender.

Por lo tanto, quiero cambiar el concepto de

"bacán". El "bacán" no es aquel osado y valiente, como dije recién, sino aquel inseguro que tuvo que disfrazar sus miedos y su soledad en esta "bacanería". El "bacán" real es el que es capaz de hacer primero lo que debe y que también disfruta de los placeres. Que tiene amigos, que hace juntas, que tiene actividades sociales, que es capaz de integrar la vida con otros, pero que ante todo van a estar sus responsabilidades de niño y su capacidad para poder rendir y ojalá tener buenas notas.

Generalmente, y de acuerdo con todos mis estudios, estos niños "bacanes" pertenecen a redes, no se encuentran solos. Están en grupos de pastoral, pertenecen a una iglesia, a grupos de scout, son voluntarios de actividades sociales, han salido de sí mismos para poder ayudar a otros. Generalmente, proclaman algún tipo de fe; tienen muy buena relación con sus padres no porque ésta sea positiva siempre, sino porque hay límites y poseen padres que son autoridad. Y como están todas las reglas claras en la casa, ellos sí pueden expresar afecto o cariño en forma permanente.

Son adolescentes que tienen espacios para poder hablar de temas profundos, y saben como hijos que los padres son pesados o desagradables muchas veces, pero que están haciendo las cosas lo mejor que pueden. Hijos que han aprendido que la vida cuesta, que no tienen todo lo que piden, que generalmente viven austeramente, condicionados más por la necesidad que por los placeres y donde los padres han aprendido a decirles que no, a preguntar si realmente necesitan lo que piden, a no taparlos de cosas para que ellos de alguna manera queden satisfechos.

Son adolescentes que se aburren mucho, pero que por lo mismo también organizan juegos e instancias personales de creatividad. Esto les hace estar en buena condición física; juegan mucho al aire libre. Se manejan bien con sus primos y tienen mucho contacto con sus abuelos, porque están obligados a ver al resto de la familia. Tienen la posibilidad también de poder ayudar a los otros; pueden expresar sus afectos, sin sentir mayor vergüenza o pudor frente a esto.

Son jóvenes que tienen grandes sueños. Muchos de ellos sueñan con la virginidad hasta encontrar a la persona adecuada. Sueñan con el pudor, con el recato, con el buen trato, con tener amigos que puedan conversar y que no estén todos borrachos para poder hacerlo. Sueñan con una carrera y con la transformación de su país en forma importante.

Estos adolescentes son miles y claramente son los que van a dirigir el país. Son los futuros jefes de estos otros disfrazados de "bacanes". Son los que han estudiado, los que entienden que el deber es algo que produce placer, que no hay nada más maravilloso que la satisfacción del deber cumplido; ellos pueden entregarles a los demás sus conceptos de honestidad, valentía y expresividad. Son constantes, perseverantes y tienen sus "caídas", pero más que caídas son ciclos naturales de la edad. No son estables porque evidentemente son adolescentes y una de las características propias de esta etapa es la inestabilidad.

Son más conscientes de los riesgos, se cuidan más, comen y duermen mejor, no ven tanta televisión, no están tan expuestos al computador, chatean menos y tienen la capacidad de poder conversar más. Para ellos es preferible invitar más amigos a la casa que estar conectados a Internet. Tienen ganas de que la casa esté llena de gente; generalmente en las casas de estos niños hay más personas que en otras. Las mamás participan más dentro del proceso de amistades de sus hijos, y aunque trabajen fuera de la casa, están en las cosas que realmente son importantes; probablemente no en todas, porque nadie puede hacerlo todo perfecto, pero sí están las ganas de ser mamá bruja o papá brujo, donde hay una sola línea educativa, y mamá y papá permanentemente van a apoyar la decisión del otro, aun cuando no estén de acuerdo; las diferencias las expresarán en privado después, pero frente a los niños siempre se va a mostrar una opción educativa.

Nos encontramos frente a jóvenes que siendo hijos de padres separados o de padres establecidos, poseen la concepción de tener de todas maneras padres unidos. Los que se separaron fueron los esposos; por lo tanto, ellos no tienen la sensación de ausencia de ninguno de sus padres. Y si sintieran este vacío, serían resilientes;

es decir, lo que no los mató, los hizo más fuertes. Por lo tanto, aprendieron a vivir con uno de ellos, en forma positiva, interesado por el resto, donde ese padre o madre que se quedó con ellos supo encauzar el camino hacia una vida más sociable, más encarnada en la realidad del otro, más empática, más solidaria, con menos agresiones, con mucho trabajo y esfuerzo.

Y los padres que permanecen juntos y contentos son testimonio de felicidad, donde sus hijos sorprendieron a sus padres bailando solos en el living una noche, o besándose apasionadamente en el pasillo del departamento, o han podido escuchar muchas veces un "te amo, gorda" o un "te amo, viejo". Claramente eso a los adolescentes les da un testimonio y una alegría muy importante y a lo mejor puede hasta ser ridiculizada por ellos mismos; incluso pueden retar a estos padres por la forma como expresan su afecto, por cómo se dan besos, pero a la larga, en el corazón de estos niños, siempre agradecen esta realidad.

Estos son los adolescentes top, los que de verdad van a transformar Latinoamérica y el mundo. Los adolescentes que son capaces de crear y de inventar desde la nada, que se arriesgan por las cosas que valen la pena, las que les hacen bien, no por las que pudieran causarles algún mínimo daño. Son los que cuidan al máximo su intimidad, su pudor, su cuerpo, porque entienden que es el templo del alma y que, por lo tanto, tienen que ser capaces de consagrarlo y cuidarlo para una persona que de verdad lo merezca. Ellos pueden mostrar su intimidad emocional y afectiva con sus amigos y amigas en forma libre y espontánea y pueden establecer redes de ayuda y de colaboración cuando así se necesita.

Son adolescentes alegres, que tienen días tristes. Adolescentes optimistas, que a veces son pesimistas. Adolescentes perseverantes, que de vez en cuando se vuelven inconsistentes. Adolescentes con ideales, que de pronto parecen perderlos, pero que la lucha y la batalla de lo positivo siempre termina por ganar la pelea. Ésos son los adolescentes que necesitamos en este país. Y ésos son los padres que requerimos para que puedan formar personas de bien el día de mañana, que de verdad nos hagan sentirnos cada vez más orgullosos... como nos estamos sintiendo con este grupo de adolescentes. Estamos orgullosos de que existan, de que estén y de que sobre todo den testimonio de una generación distinta a la que se ve en televisión, a la que muestra todos los días los diarios y a la que nos están acostumbrando a mirar.

Los adolescentes son mucho más que eso. Hay más adolescentes haciendo cosas buenas que malas. Hay más gente buena en este país, que gente que se preocupa por destruirlo. Hay mucha más gente noble, que gente desconfiada. Hay más gente que anda y camina por la vida siempre intentando ayudar al otro, que gente que no lo hace. El tema –y éste es un llamado a los medios de comunicación– es que por alguna razón estúpida eso no vende. Y claramente son los medios los que tienen que cambiar esta visión; deben mostrar que los programas de servicio son importantes, que los programas de contenido son necesarios, que no basta con mostrar solamente delincuentes y policías todo el día para poder tener una visión realista de la sociedad.

También hay que mostrar buses llenos de adolescentes partiendo a trabajos voluntarios; buses llenos de adolescentes ayudando a la Fundación Teletón o de niños discapacitados; buses llenos de adolescente trabajando para un Techo para mi País. Jóvenes trabajando como Patch Adams en la Fundación Narices Rojas, ayudando a los niños con cáncer. Fundaciones por millones donde trabajan montones de jóvenes voluntarios. Fundaciones que ayudan a que otros puedan crecer y desarrollar capacidad empresarial y emprendedora. Jóvenes emprendedores que crecen y que creen firmemente que se pueden hacer realidad los sueños que uno inventa. Que saben y tienen plena conciencia que los límites sólo existen en la cabeza; afuera no hay ninguno. Es adentro de la cabeza donde están los miedos, donde están los juicios, donde están los prejuicios, donde están los "no va a resultar". Y claramente si le hacemos caso a esa cabeza, no avanzamos. Afuera todo es posible y se puede crear con constancia, con trabajo.

Esos adolescentes son los que necesitamos en este país y yo orgullosamente los llamo "bacanes". Ojalá que los padres los refuercen, que no les digan más "pernos", que no les digan más "mamones", que no les digan que son tontos porque hacen cosas distintas. Que se sientan orgullosos, desde la propia familia, de ser lo que son para que desde ahí tengan el motor para seguir trabajando por un país mejor, más sólido, más próspero y, sobre todo, con más respeto por el otro.

CONCLUSIONES

Para poder terminar este libro he recorrido los rostros de muchos niños y jóvenes de todo el país y fuera de él, entre los nueve y los treinta años; entonces vienen a mi cabeza y a mi corazón miles de rostros de hombres y de mujeres, de adolescentes, de familias completas, de padres angustiados, y sin duda alguna no puedo dejar de conectar esto con una pregunta: ¿Qué está pasando en el mundo adulto? En la generación de los cuarenta y de los cincuenta años no estamos dando un buen testimonio de preocupación por estos niños, porque tratamos de tenerles todo lo que necesitan, pero que no es lo que ellos de verdad nos están pidiendo. Nos están pidiendo más afecto, más caricias, más límites, más orden, un mundo más seguro por el cual transitar, un mundo más claro. Hay algo ahí que tenemos que reflexionar y que modificar en pro del crecimiento de la espiritualidad y del trabajo de estos niños en forma interna.

Hacer este libro no ha sido fácil. Primero, porque era un rango de edad tremendamente largo. Es un libro muy extenso, que tiene mucha información y seguramente dejé de mencionar muchas cosas importantes. No pretendí abarcarlo todo, porque sería una decisión omnipotente. Solamente incluí lo que fue naciendo de la experiencia, de los estudios y de las investigaciones.

Pero además no ha sido un libro fácil de hacer porque me tocó escribirlo en un proceso inicial de duelo que me tiene el alma absolutamente destrozada, pero lo hice por el rigor y por el compromiso que establecí con él, con el amor de mi vida, con Óscar. A él le dije que lo terminaría antes de fines de septiembre, así es que puedo decir con orgullo: "Promesa cumplida, amor". Estoy cumpliendo la promesa que te hice de entregarle a este país este libro, que puede ser una herramienta, que puede ser un libro de preguntas, que puede no ser nada, que puede ser una crítica, que puede ser una tontera, pero es algo que me atreví a hacer, porque intento que sea un aporte.

He tenido la suerte de que los dos libros que he escrito se han transformado en best sellers dentro de Chile. No sé si espero lo mismo de éste; sólo pretendo aportar un granito de arena a cada familia: a esa familia que tiene poca educación, a la que tiene mucha, a la que puede acceder a un psicólogo, a la que jamás va a poder pagar una consulta. Sobre todo a estos últimos va dedicado el libro. Para que tengan aquí las respuestas, las reflexiones, las discusiones, las discrepancias.

Me quedo con la satisfacción de haber sembrado en estas líneas una cantidad enorme de semillas, que, como siempre digo en mis conferencias, "espero que hayan caído en buena tierra". Que estas semillas den fruto o no ya no depende de mí o de las personas que me ayudaron a escribir este libro. Depende de quienes lo lean y de lo que hagan con la información que reciban. Ojalá alguna familia o un adolescente logre encauzar su vida, logre recuperar los sueños, logre sentir que vale la pena crecer, y que el título del libro es una estupidez. Ojalá me lo reclamen y me digan: "No, yo tengo ganas de crecer; yo quiero ser adulto para poder hacer las cosas distintas".

Ojalá cada día haya más adolescentes y niños así, más compromisos, más matrimonios, más "yo sí quiero", más decisiones de amor, aunque a veces sean dolorosas o impliquen poco tiempo, pero recuerden que el tiempo cronológico nada tiene que ver con el tiempo emocional y espiritual de las cosas. Las cosas a veces duran poco, pero pueden marcar toda la vida.

Hay un montón de estudios que prueban que basta con que un adolescente se encuentre con un solo adulto significativo como referente de modelo, como maestro y no como profesor, como conductor de vida, para que cambie su forma de ver las cosas.

Los niños son prestados; mis hijos también son prestados, y espero que cuando se vayan de mis manos, sean las mejores personas que pueden llegar a ser. Ésa es la responsabilidad de los adultos: transformar la vida de los niños y dejarlos siendo buenas personas cuando nosotros ya no estemos, cuando de verdad formemos parte del otro mundo, cuando de verdad podamos sentirnos orgullosos de la generación de adolescentes que formamos y eso nos permita llegar al corazón de ellos.

Llegar al corazón de ellos es mucho más fácil de lo que ustedes suponen. La gente que me ha escuchado en charlas sabe que es cierto. Incluso, muchos de ellos me dicen: "Nos retaste durante más de dos horas y nos vamos felices. Nunca nadie nos había hablado con tanta claridad". No quiero sentirme especial, sino sentirme como un instrumento. Alguien como cualquiera que simplemente se atrevió al riesgo de intentar cambiar y de confiar en la generación que viene. Creo profundamente en los adolescentes de este país, pero en lo que me cuesta creer es en los adultos; por lo tanto, si los adultos cambiamos como motor de vida, como testimonio de acción, claramente vamos a tener una generación de adolescentes que sí vale la pena educar y que a la larga van a ser los grandes constructores de este país.

Gracias a toda la gente que participó en las investigaciones conmigo. Gracias a todos ustedes porque, de una u otra forma, participaron de este hermoso sueño que es tratar de que este libro se llame: Quiero crecer para transformar el mundo.

AGRADECIMIENTOS

Antes que todo, creo que mi primera obligación es agradecerle a Dios la posibilidad de estar viva, la posibilidad de sentir que podía entregar algo en este nuevo libro a Chile y Latinoamérica. Quiero darle las gracias a él por haberme dado la fuerza para poder escribir estas líneas en este período tan difícil de mi vida.

Gracias a Óscar, el amor de mi vida, que me impulsó y me obligó a comprometerme con él, dos días antes de que partiera, a terminar este libro antes de septiembre. Gracias a él por su amor, por su incondicionalidad, por mostrarme que el amor también puede existir más allá de la vida misma.

Gracias a su madre, hermano, Cristina y sus hijos, que me han ayudado a llevar de mejor manera este dolor y enorme esfuerzo.

Gracias a mis hijos, por darme el respaldo, la seguridad, los testimonios y a veces la corrección de muchos de los contenidos de estas páginas.

A los hijos de Óscar, por el testimonio, por el cariño, por la ayuda, por la solidaridad. A Michelle, a Óscar Matías, a Paula y a Valentina porque nunca perdí el afecto de ellos después de que su papá partió. Por sentirlos muy cerca, por estar ahí cada vez que nos necesitamos, aun cuando no nos veamos todo lo que quisiéramos por lo difícil que ha sido este año. Gracias porque me estimularon a que continuara.

Gracias a mis padres, a mis hermanas y a mis amigos por la motivación continua para que yo terminara este libro, para que pudiera de una vez por todas transmitir algo que los jóvenes necesitaban escuchar.

Gracias a Natalia, una periodista maravillosa, porque sin ella este gran sueño no hubiera sido posible. Ella me encauzó, me ayudó, me extrajo la información como una exprimidora y a la larga logró configurar las ideas y canalizar toda la ayuda que yo necesitaba para poder transmitir este mensaje.

Gracias a la Editorial Norma por haberme esperado más de un año, toda la enfermedad de Óscar, para poder terminar este libro. Sin su paciencia, esto tampoco se hubiera cumplido.

Gracias a la pasión de Isabel Busetta, que como mi editora me empujó, casi en forma agresiva, a terminar y avanzar en mis procesos literarios.

Gracias a Adriana, mi secretaria, que me ha dado los tiempos necesarios entre mi trabajo y entre sacar adelante a mi familia para poder terminar estas líneas.

Gracias a los jóvenes, a todos los que me insistieron en Chile que yo escribiera este libro y que necesitan leerlo para poder encauzar su adolescencia. Tengo tantos rostros de adolescentes en mi corazón y en mi cabeza en este minuto que cada vez que llegaba a sus ciudades me decían: "Bueno, Pili, ¿y el libro cuándo?". ¡Aquí está! El libro también por supuesto es para ustedes.

Gracias a cada una de las personas con las cuales me encontré y me aportaron algo de información que se plasmó acá. Esto no es una pretensión literaria, yo no soy escritora; solamente quise compartir experiencias, no teorías psicológicas. No soy dueña de nada, no sé nada, estoy recién a los 43 años reaprendiendo a vivir y reencauzando los sueños; por lo tanto, bien poco podría dar lecciones. Solamente quiero poder entregar lo que me han regalado por años los jóvenes de este país y fuera de Chile también, herramientas necesarias para empezar a mejorar un poco la calidad de vida de nuestros adolescentes, pero esto pasa, sin duda, porque cambien los adultos la concepción que tenemos acerca de la vida.

Y finalmente, gracias a ella: la vida. Porque gracias a ella me he caído muchas veces por errores y por dolores, pero me he logrado parar una y otra vez. Espero que esas lecciones de fortaleza sean testimonio para muchos jóvenes de que sí se puede, de que es posible estudiar con angustia, de que se puede ir a una PSU aun cuando los papás hayan peleado la noche anterior, de que se puede rendir a pesar de que uno tenga dolores, de que es posible ser feliz en la vida aunque se tenga una pena en el alma.

Ya vendrán otras obras, otros caminos y otros

aprendizajes, que sin duda tendrán la misión de extraer lo mejor de mí e intentar dejar huella. Nadie se hace millonario en Chile escribiendo libros. Ésta es una labor de servicio al país para poder entregar lo que uno ha podido ver al estar en contacto con el Chile real. Ese Chile que veo todos los días, que me permite viajar por él todas las semanas, descubriendo mundos, abriendo almas, despertando conciencias y teniendo la capacidad, sobre todo, de establecer vínculos con esos que llamamos desconocidos y que son simplemente personas con las que no me he vinculado. Los desconocidos no existen.

Aprendamos a tener confianza, a creer que el otro sí tiene algo que enseñarme. Así podremos derribar de verdad esa soberbia de los jóvenes, que yo mencionaba al inicio del libro. Yo la vencí porque les hablé al corazón. Porque al describir muchas de sus conductas, ellos se vieron identificados. Al mencionar cómo lanzan las mochilas en las camas, que las cáscaras de naranja se pueden quedar secas en el velador, que la mamá recolecta los vasos por toda la casa; al señalar que una mochila no se abre por días y que una circular para una reunión puede quedar guardada hasta diciembre. Ojalá se hayan reído y hayan sentido que en algún momento, como me dicen muchos en las charlas, pareciera ser que hubiera vivido con ustedes. Que Dios los bendiga, muchas gracias por leer estas páginas, esta fuente de esfuerzo. Hasta la próxima, hasta cuando Dios así lo quiera.